小説
弱虫ペダル
よわむし
9
JN244808
京都伏
原作
渡辺航
ノベライズ
輔老心
岩崎書店

# 弱虫ペダル⑨ 目次

# 登場人物

## 今泉俊輔

自転車競技に命をかける、毎日ストイックに走り続ける高校一年生。中学時代は県内でも有名なレーサーだった。坂道の走りに関心を持っている。

## 小野田坂道

ママチャリで往復九十キロの秋葉原への道のりを毎週欠かさず通う高校一年生。自転車に自分の可能性があるなら、と千葉県一強い自転車競技部に入部する。

## 鳴子章吉

自転車と友だちを大事にする関西出身のレーサー。浪速のスピードマンの異名を持つ高校一年生。坂道のよきアドバイザーでもある。

### 総北高校自転車競技部 三年生

主将 金城真護

田所 迅

巻島裕介

### 箱根学園自転車部

新開隼人

主将 福富寿一

真波山岳

泉田塔一郎

東堂尽八

荒北靖友

### 京都伏見高等学校

御堂筋 翔　石垣光太郎

## 前回までのあらすじ

箱根～富士山周辺を舞台に、三日間にわたって行われている大レース、その名も「インターハイ」。優勝をめざす千葉県代表、総北高校自転車競技部では、初心者レーサー小野田坂道が、一年生ながらレギュラーメンバーとして走っている。

ところが、レース二日目のスタートで総北に大トラブルが発生。スプリンターの田所が体調不良で走れなくなったのだ。勝利のために田所をすてていこうとする巻島に小野田は抵抗。うしろにもどって田所のところまで行き、田所を引いて、チームとの合流をめざすことにした。

一方、先頭争いは絶対王者の箱根学園と、異才・御堂筋ひきいる京都伏見がデッドヒート。スプリント勝負で箱根学園はエース新開を出すが、御堂筋に敗戦。このことにより、レースの主導権は京都伏見にうつりつつあった。

灼熱の二日目は、いよいよ正念場の中間地点をむかえる――。

## はじまる前に

この巻は、インターハイ二日目のレース中盤からはじまります。
ここでの自転車の高校日本一を決めるインターハイの流れは、

・三日間かけて行われる。
・毎日、朝にスタートして、夕方前にゴールする。
・一日目は、江ノ島から百二十台がいっせいにスタート。
・次の日からは、前日のタイム差の順に、秒数をあけてスタート。
・とちゅうでこけて、ケガをして走れなくなったらリタイアになる。
・三日目の最後のゴールでトップだった選手が総合優勝。
・ゴールをねらうのは、各チームの最強選手「エース」。

これらを頭のかたすみにおいておけば、インターハイがよりたのしめるよ。

本書は、秋田書店刊の『弱虫ペダル』をもとに小説化したものです。文章化するにあたり、台詞など一部改めています。

# 第一章 田所の帰還

# 中間地点給水所

「……にしても、あついですね～」

「そう言うなって、選手はこの中を走っているんだぜ」

白いテントがいくつもならんだ給水所。

ギラギラとてりつける真夏の日ざしを手でさえぎりながら、箱根学園や総北高校の補給部隊が、選手たちの来るのを待っている。

激闘のインターハイは二日目。

先頭は静岡県内を走行中だ。箱根峠から坂を下り、しばらく平坦道を走ると海だ。その近くにこの給水所はあって、ちょうど今日の全走行距離の中間地点にあたる。

総北高校の手嶋は、白い大きな入道雲を見あげた。

これから目の前を通りすぎていく選手たちに、サコッシュとよばれる小さなバッグをわたすのだ。その中には、新しいドリンクボトルや補給食、ゼリー飲料が入っている。

「来たぞ、先頭集団だ‼」

その声に、給水所の空気がいっそうピリッとした。

トップはどこのチームだ？

「先頭は京都伏見‼」という声と同時に紫のジャージ六台が給水所レーンに入ってきた。

ゴォァァアアアアーーーーー

通りすぎざまに、そろいの紫のTシャツの京都伏見の補給部隊が選手たちに次々とサコッシュを手わたしていく。

「おくれて箱根学園だーーー!!」

観客の声援を聞きながら、手嶋はくちびるをむすんだ。

青いジャージの箱根学園は泉田、荒北、福富、新開、東堂、真波の順で次々と入ってきた。

補給部隊は、四人がかりでサコッシュをわたしながら

声をかけている。

「福富さんファイトです‼」

「東堂さん、がんばってください‼」

「カラボトルは回収しますから投げてください」

京都伏見の御堂筋は自分の荷物をサッとうけ取ると、すぐにボトルをあけて、一本分の水を全部、顔にバッシャアアとかけた。それくらいあつい‼

そして、カラになって、ぽいっとほうり投げられたボトルの一つが手嶋の足もとにころがってきたので、ひろって京都伏見の係にわたした。

沿道からは「おおお、いけぇ箱根学園」と、観客の声が聞こえてくる。
紫ジャージと青いジャージが遠ざかると、とたんに
セミの声が大きくなった気がした。

「次、三番手はどこだ？」
「熊本台一か、千葉の総北だ。タイム差が
開いているからまだ来ない」

だれかがしゃべっているのを聞いて、
手嶋、青八木、杉元、寒咲 幹の総北補給部隊は、
くやしくて奥歯をかみしめるしかなかった。選手たちが
来るのをじっと待つしかない。

そのしずんだ空気をかきまぜるかのように、

「ど、どちらも強そうですよ!!　京伏も箱根学園も!!」

と、杉元がこまったような声で言った。

スプリントを取った京伏が、レース全体を制圧した動きをしているが、追走の箱根学園も王者だ。絶対に引かない。

わかってるさ……!!　うちの敵は二強!!
オレたちはそこに食いこんでいかなきゃならないんだ。
田所さんと小野田ぬきの、たったの四人で、だ!!

田所さん……!!

手嶋は、じっと自分の手のひらを見た。立ち往生する田所の背中を坂でおしたときの手の感触を思い出した。

今、どこを走っているんですか。
中間リザルトを見るかぎり、小野田が回収するために残ったみたいだが……、
チームとの合流は……、あいつは……小野田は……平坦道は得意じゃないからな……。
とにかく今は、四人でなんとかするしかないんだ‼
だから、早く来てくれ、チーム総北‼

「来ねぇなァ、三番手……さすがに……なァ……」

「ああ、二日目の優勝は先頭の二チームにしぼられたな」

給水所には、そんなえんりょのない観客の声が聞こえてきた。

手嶋はギクッとして、サコッシュをつかんだ。


ここでのタイム差はチームとチームの力の差だ……‼

早く来てください。おねがいします。金城さん‼

と、手嶋は強く念じた。

ミキは思わず肩にかけたサコッシュのひもをぎゅっとにぎりしめた。そして心の中で、いのるような気持ちで選手たちの名前をよんでみた。

そのころ、金城は総北の四人の先頭を引いて、海ぞいの道を走っていた。金城―巻島―鳴子―今泉の順だ。補給所が近づいてくる前に金城は指示を出した。

「もうすぐ補給所だ。各自ボトルと補給食をうけ取れ」

「ショ!!」

と巻島が返事をした。

「鳴子、先頭交代だ。補給所をすぎたらオレの前へ出ろ！」

「はいな！」

と鳴子が返事をした。

## 三番手

「来たぞ、三番手だ!」

それを聞いて手嶋はパッと顔をあげた。

ゴアァーーーッーー

手嶋の目にいきおいをつけた黄色い編隊が見えてきた。総北だ。

来た!

あれ？　手嶋も杉元もおどろいた顔をかくせない。

先頭……が鳴子でも今泉でもない、エースの金城さんが引いているじゃないか‼

予想していなかった順番で、黄色いジャージの四台の自転車が給水所に入ってきた。


「総北だ‼」と手嶋たちが声をあげた。

しずまりかえっていた補給所がふたたび活気づく。

「追撃の熊本台一を……引きはなしているぞ！」

「金城さんが引いてる‼　チームはまだ生きてる‼」

と手嶋がさけんだ。

みんな‼　とミキが自分の手をぎゅっとにぎった。
通過する総北の四人がバッと左手を出した。その手にむかって補給部隊はサコッシュをタイミングよくわたしていく。

手嶋が走りながら、さけんだ。

「金城さん、おねがいします!!　すぐに先頭に
追いついてください」

「ああ!!」

そう言って金城はサコッシュを
手に取った。

「巻島さん!!」と、青八木がわたす。

「今泉くん!!　鳴子くん!!」

と、ミキがうまく手わたした。

「ファイトォォ!!　総北ゥゥ!!」

と、あっという間に小さくなっていく
チーム総北の選手たちに手嶋がさけんだ。

「うぉおおーー、総北、ガンバレーー!!

オレ信じてますよォォ」と杉元もさけんだ。

ほんの一瞬のできごとだった。

あんなに長く待っていたのに、メンバーたちはあっという間に通りすぎていった。

ドリンクを口にして、フーッと息をついた鳴子は、金城に聞いた。

「よかったんすか。あんな軽く返事して。ほんまに先頭に追いつく算段はあるんすか」

「フ……」

と金城は息をはいた。その目には力がやどり、りりしさを取りもどしている。

鳴子が、

「このまま四人で追いついたとしても、相手は六人。数の差で勝負できひんかもしれんですよ」

と不安を口にすると、

「四人で追いつく気はないさ」

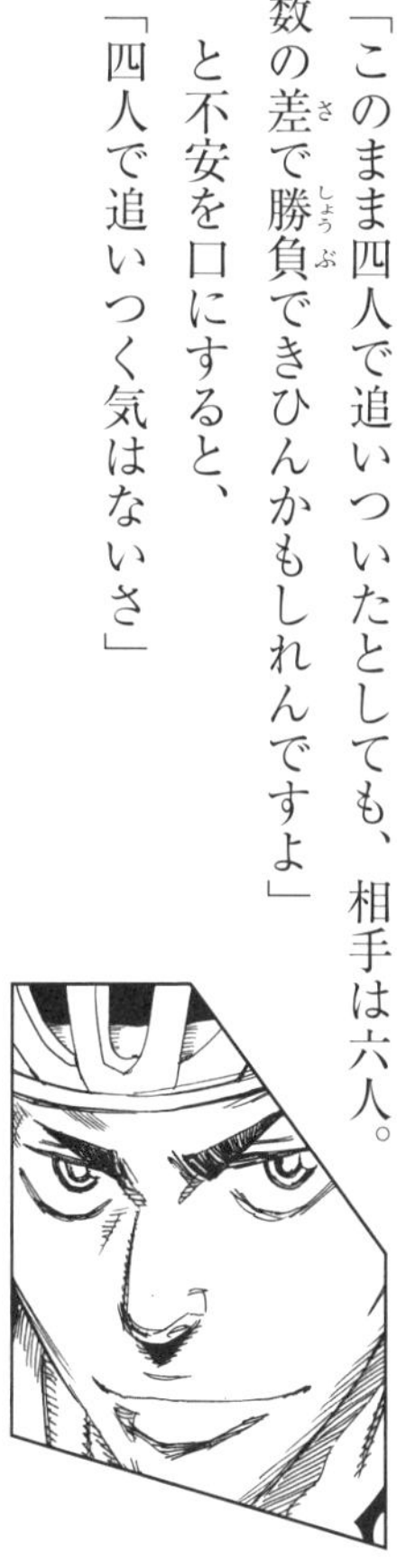

と言った。

!?

「だろ？　巻島」

と金城は巻島に問うた。

え……、

「四人で……」て、

まさか――――。

鳴子はおどろいて、手に持っていたボトルを落っことしそうになった。

「クハ、がまんして待っててりゃ、いいことあるってな……」

と巻島は鼻をこすりながら言った。

「オレはあんとき小野田は追いつかないと言ったっショ。あいつは平地が速くない。現に中間地点をすぎても追いつけてないショ。けど、来んだ。見ろ、鳴子」

差した指の先には、富士山があった。

「二日目後半戦、ゴールまでの残り四十キロは、富士山の西側、国道139号をひたすら走るゆるやかな登りだ‼」

「登り!!」

「そう、登り……だ!!　登りの追いあげで……あの小野田が!」

と言うと、巻島はニヤアッとわらった。

右手に巨大な富士山、しばらくはこの雄大な景色の中、山すそをまわりこむようにコースは進んでいくのだ。

「登りの追いあげで、小野田が追いつかないわけないショ」

と、巻島はペダルをふみながらニヤリとしている。※クライマーにとって、登りの斜度がどんなにうれしいか。巻島は体で知っている。

金城は、

「総北は六人そろう!!　全員そろいしだい、前の二チームへの追撃を開始する!!」

とどうどうと宣言した。

※クライマー…登り坂を得意とするタイプの選手

## わらいながらこぐ

四番手で給水所を通過したのは、熊本代表・熊本台一だった。

「く……総北の金城はなんて速さね‼　おいていかれたばい」

ピンクのジャージ、熊本台一の主将・田浦良昭はドリンクを口にしながら前を追う。

ハッ、ハッ、ハッ、ハッ、ハッ、ハッ、ハッ、

総北にジリジリと引きはなされている。

「田浦さん！」

田浦のうしろを走るメガネの選手が田浦をよんだ。

「ん？　なんね」

そう言うので、田浦はふりむいた。

⁉

「なん！　また総北がおると⁉」

熊本に自転車が、二台せまってくる。

ハァ　ハァ　ハァ　ハァ　ハァ

ハァ　ハァ　ハァ　ハァ　ハァッ

はく息を合わせた黄色いジャージが、
いいペースで熊本の後方にいた。
坂道と田所だ。

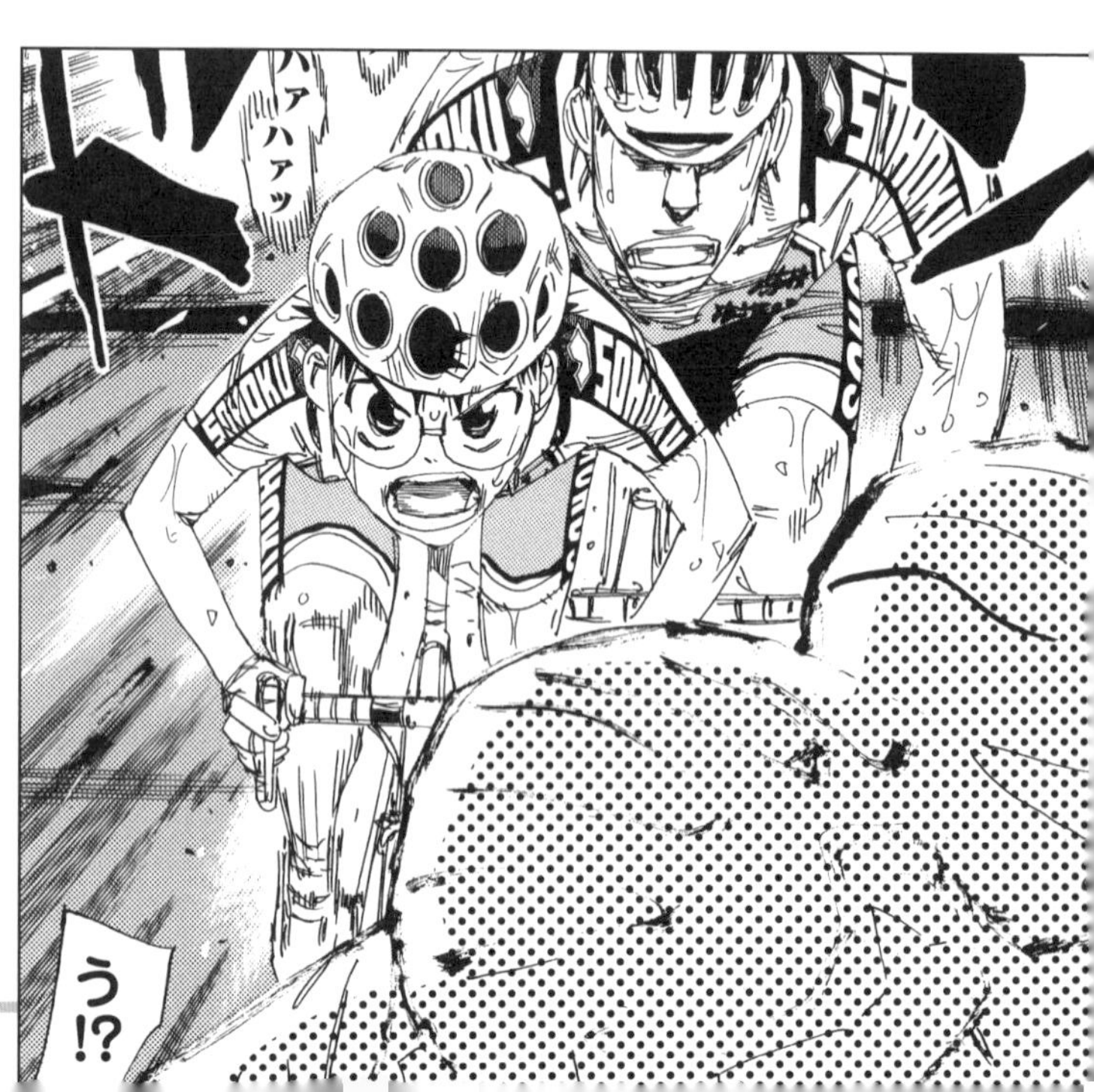

「田浦さん、さっきから総北が……はりついとります」

「わかっとる‼
動揺せんでよか。オイたちは肥後の超特急、熊本台一‼
好きにさせとけ‼
それより、見ろ、井瀬、ここからは登り‼
平坦でつかれた足は、ここでふるいにかけられる。
登り坂は足をじわじわむしばむばい‼」

コースは大きく左にまがる。富士山の長い山すそが見えて、道は登りになっていく。

「あいつら、平坦でハーハー言いよったけんね‼　すぐになきながらチギれていくさ‼」

そう言うと、田浦はふり返って坂道を見た。

その坂道はなんとわらっているではないか。
田浦は目をまるくした。
「なんでわらいよっとかーーーー!!」

坂道がわらうとき、それは登り坂のときなのだ。

ハァ、ハァ、ハァ、

やっと、やっとだ。

やっと平坦区間が終わった……長かった……。

と坂道は思った。待ちに待った登り坂がきたから、わらったのだ。

ずっと苦手な思いでペダルをふんでいた。まうしろを走る田所にむかって、

「すいません、田所さん、今までペースがあがらなくって」

とあやまった。田所は、坂道の頭をがしっとつかんで言った。

「かまわねェさ。行け。
おめーのおまちかねの登りだ」

「はい!!　すぐにチームに追いつきます!!」

ゴォアアアアアアアアーーーーー

そう言うやいなや、ペダルをふみこみ、速度(そくど)をあげて、ズバッと熊本(くまもと)のピンクのかたまりをぬいた。いきなり、六台まるごとぶっちぎった。

「あーーーーーーーーー!?」

田浦（たうら）はついていけない。

「速（はや）かーーーーーーー!!　あん、小さか男はクライマーやったとかーー!!」

　と田浦はさけんだ。

　坂道は水をえた魚のようにペースをあげていく。田浦の目には、黄色い二台の背中（せなか）がどんどんと小さくなっていくのが見えた。このペースにはついていけない。

「田所さん!!」

「なんだ!!　まだ……ペースをあげるのか!?」

　まうしろに必死（ひっし）でついていく田所は、坂道とはぎゃくの才能（さいのう）の持ち主（平坦（へいたん）のスペシャリスト）だから、登りになると息があらくなっていく。

　坂道はふいにふり返った。

「二人で登るとたのしいですね」

田所に笑顔をむける坂道は、本当にたのしそうに自転車をこいでいる。

田所の顔がおどろいてかたまっている。

「あっ、あーーーーーしまった。すいません!!」

坂道はおこられたかとかんちがいした。

「レース中にたのしいとはなにごとだってことですよね!? き、昨日箱根で走っていて、ずっと一人だったので……、田所さんといっしょだと心強いなーと思って。すいません」

「ああ、たのしいよ」

田所はそう言った。

坂道はびっくりして、

「あっ、あーーよかったです」

とあわてて言った。

田所は坂道のたのしげなようすにびっくりしていた。いつもの練習では、田所は同じスプリンターの鳴子と組むので、坂道といっしょに走るのはめずらしいことなのだ。

こんな状況で〝たのしい〟……か。

チームに追いつかなきゃいけないいつうこの状況、フツウ顔をゆがめて走るんだよ。

金城、やっぱおまえの言った通り、こいつは意外性のある男だぜ。

坂道はわらいながら坂を登る。

これは部員たちがみんな知っていることだ。

そして、田所は心の中で坂道に語りかけた。
小野田、気がついているか。
おまえがけんめいに引っぱってくれたおかげで、今オレはここを走ってられるんだ。
今日のステージ、スタートさえまともに切れなかったオレが、
走っているうちに、いつの間にか……ふだん通りにまで回復(かいふく)してんだよ‼

田所は、ドンと自分の胸をたたいた。その表情には失った自信がよみがえっていた。

たのしいか、小野田。
オレもだ。おめーがわらうから、オレもつられてわらっちまうんだ!!

田所は、ふいに坂道に話しかけた。
「まぁ、笑顔になってもオレは登りじゃ、おまえのように速度をあげられねェけどよ。
あれだ。かわりにうたうか、けいきづけに」
「えっ……、それって……、あの……追いぬきとかないですけどいいんですか」
田所は、笑顔でオッケーと合図した。
坂道は満面のえみをうかべ、二人はまわりなど気にせず、思う存分、声をあげた。

「はい‼
ヒーメヒメヒメ、大きくなぁれ、
魔法かけても、
ヒメはヒメなの、ヒメなのだ‼」

あれだけはずかしがっていた田所も、
どうどうと大声でうたっている。
それに気づいた沿道の観客が、
「なんだ、あの二人……、うたいながら
登ってるぞ⁉」
と言った。

「すごいです、田所さん、歌詞もリズムもかんぺきです‼」
「ガハハハハハ、だいぶ、うたったからな」

田所はうれしそうにわらった。完全にこの歌を自分のものにしていた。

「じゃあ次はエンディングの曲、いきますか」

「まだほかにあんのかよ!!」

そう言った瞬間、田所は※坂道の一年生レースのとき、総北高校自転車競技部・ピエール監督が言っていたことを思い出した。

そういや、カントクも「カレが見せてくれているのは、自転車の根源的なオモシロさですよ」と、あのとき言った。

ちげぇねえ、だからオレも引っぱられるんだ。

この小さな背中に。

歌の力かと思ったがそうじゃねェ。

走り出す快感、回すたびに変わる景色、

風……そして仲間、自転車そのもののたのしさを

こいつは体現してんだ。

※『小説 弱虫ペダル』第１巻参照

「田所さんと二人だと心強い」だと？

バカヤロウ。

二人はそのままこぎ続けた。

少し行くと坂道が言った。

「この坂はダンシング※で一気に行きます」

それはこっちのセリフだよ‼　と、田所は返事をしながら心の中で思った。

ハァ、ハァ、ハァ、

ハァ、ハァ、ハァ、

立ちこぎになった二台がぐんぐんと坂を登る。ペースはどんどんとあがっていく。

いいペースだ。この調子(ちょうし)なら、前に追いつく。

※ダンシング…立ちこぎ

## 帰還

「あ。田所さん、前のほうに選手がいますよ。ひょっとして総――」

「ああ、見えているよ」

坂道は、ふり返って田所の顔を見てびっくりした。滝のようになみだを流しているではないか。田所は感きわまってないていた。

「いいから前をむいて走れよ、小野田。

オレは最後にチームに追いつくまで言わないでおこうと決めていた言葉があるんだ。

こいつを言うと集中力が切れそうだったんでな」

坂道の小さな背中をたよりに、片足ずつペダルをふんできたら、とうとうチームの背中が見えてきた。

田所の目には、登り坂のあの先に、はっきりと総北の黄色いジャージが見えている。

その向こうには白い雲がわき立っている。

坂道に声がとどくように、田所は話した。

「オレは今、おまえに感謝してもしてもしきれねェくらい感謝してる。小野田……ありがとよ。オレはこの目でもう一度、あのジャージを見られると思わなかった」

そう言うやいなや、田所の目から大つぶのなみだがポロポロとこぼれ出した。太い二の腕でなみだをぐいっとこすった。

「もどってきたぜー、チーム総北‼」

とグリーンゼッケン172番をつけた田所がありったけの声でさけんだ。

全員がふり返った。

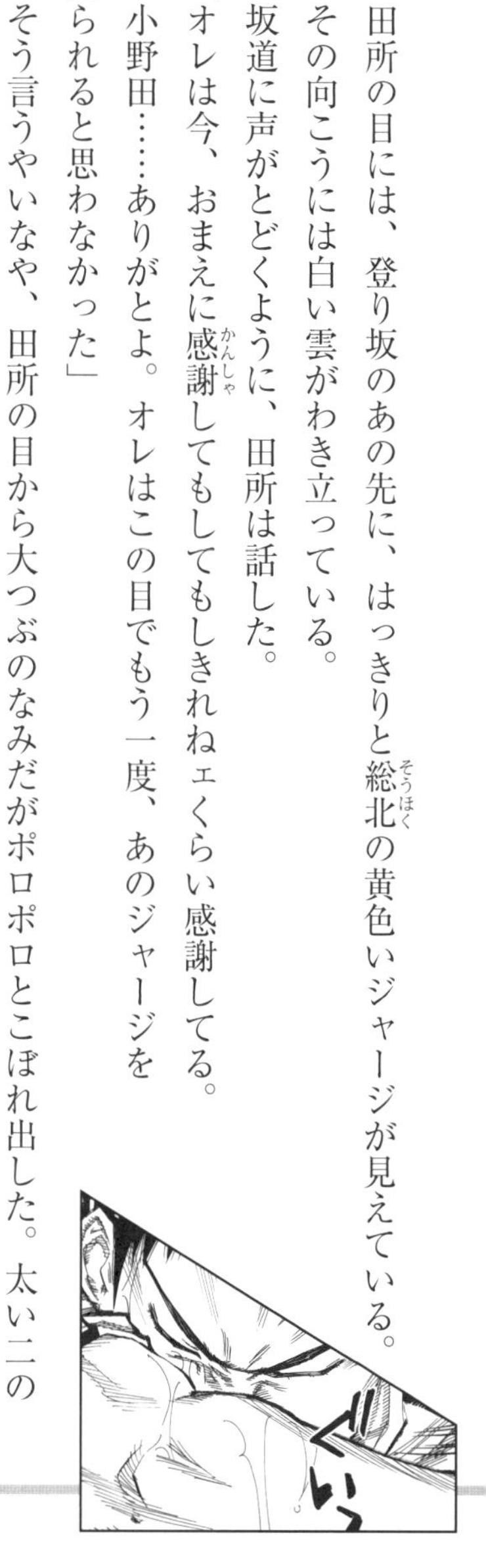

「巻島ぁああああ‼」

と田所は右腕を大きくつきあげた！

「ショォオオオ‼」

と巻島は答えた。わらっている。

ついに田所と坂道はチーム総北の本隊に合流した。もどってきたのだ。

「田所、小野田！」

と金城が敬意をこめてサングラスをはずした。

「金城さん、おそくなりました。ただ今、全員をつれて、チームに合流しました‼」

と坂道がさけんだ。

「小野田くん!!」

と鳴子が坂道をむかえいれ、背中に手をおいてねぎらった。

今泉は信じられないものを見ているような目をしていた。

インターハイの二日目、大会中もっとも長い百キロ超のロングコースの、残り三十キロの土壇場でそろった……!!

チーム総北、六人全員がそろった!!!

金城は二日目のスタート前に、「作戦だ、小野田。鳴子、巻島、田所、全員をつれてなるべく早く追いつけ」と坂道に言ったことを思い出していた。

「よくやった」

と金城が坂道の肩をがっしりだいた。

「ショォ!!」と巻島も声をあげた。巻島の判断がなければ、このシーンはなかった。


「小野田!!」と金城がふたたび名をよんだ。

「はい!!」坂道が目をかがやかせて答えた。

鳴子が、

「いやいや、部長！　よくやったどころやないすよ。もっとホメたってくださいよ。小野田くん、小野田くん、スゴイで、マジで!!」

とバシバシと坂道をたたいた。

「いたい、いたいよー、ははは」

と坂道は小さな声で答えた。

「正直……ムリかと思ったで……。メッチャ……たいへんやったんちゃうか!!」

と鳴子が言うと、

「う、うん。ボクは下りとか平坦が得意じゃないからおそくって、田所さんにめいわくかけちゃって……」

その二人の間に田所がぐわっと入り、右手を坂道の肩に、左手を鳴子の頭においた。

「んなわけねーだろ‼
こいつはもんくも言わず、ひと言の弱音もはかず、オレを引き続けてくれたんだ。
真夏の炎天下、集団でほかの選手が一人ひとりチギれていく中、こいつはねばって、がまんして、回して、箱根からここ富士山のふもとまで、たった一人でオレを引っぱってきたんだ‼」

あまりにいろいろと言われて、坂道はてれくさいやらはずかしいやらで、カーッとなった。

「いやっ、いやいやいやいやいや」

とすぐに首をふった。

「あの……ボクは金城さんに言われただけで、そんな。言われたことをしただけであの…」

「それがすげーんだよ‼」と田所がほめる。

「いやいやいや、そんなことないです」

と坂道は手をバタバタさせた。

そのようすを、今泉が少しはなれたところから
じっと見つめていた。

小野田……、
あいつがチームに合流してから、しずんでいたチームのふんいきが変わった……。

六人そろった安心感か……、たった今、すごいことをやってのけたからか……。

今泉は、ふと初めて※坂道に会った日のことを思い出した。

坂道は制服姿でママチャリに乗っていた。裏門坂の急坂。そして、ど素人丸出しの一年生ウェルカムレースがあって、ケイデンス※をあげろと言われたあの日。

※ケイデンス…ペダルの回転数　※『小説 弱虫ペダル』第１巻参照

いや、

……そういうのじゃないか。

そうだ、あいつは出会ったときから、

まわりの空気を変えちまう、おかしなヤツなんだ。

と今泉は思った。

金城がみんなにオーダーを出した。

「総北はそろった!!　行くぞ、始動だ！
陣形を取れ!!
残り三十キロ。前にいる箱根学園も京伏も
ゴールにむけて少しずつ動き出す距離だ!!」

‼

復活した田所が強い目つきにもどっている。

箱根学園……‼

と鳴子がつぶやく。

ゴール……、

と巻島が念をこめる。

今泉と坂道が、未来を見つめる。

メンバー六人全員に闘う気持ちがふつふつとよみがえってきた。

金城はこう言った。

「オレたちは京伏と箱根学園に追いついて、さらに勝負をしなければならない!!

小野田、もうひと仕事だ。回せ!!

巻島と二人で、この登り坂のうちに、先頭集団までチームを運べ!!」

「はい!!」

「ショォ!!」

まず坂道が総北の六台の先頭に出た。巻島がすぐうしろにつける。総北がほこるクライマーの出番だ。


「追いついて、勝負……!!」


坂道は心にきざみこむように、つぶやいた。

この先に箱根学園が、真波くんがいる!!

ぐるぐるぐるぐるぐるぐるぐる——

チーム六人全員の勝利のために、
行くんだ三日目まで、
真波くんのチームに追いつくんだ‼
うあああああああああああああああ
坂道はおたけびをあげた。

東堂、待ってろ‼　と巻島がちかう。
福富、待ってろ‼　と金城がねらう。
待ってろ‼
王者・箱根学園‼

# 第二章
# フェイズ13

# スプリンターはお荷物だ

総北がようやく「六人合体」をはたしたちょうどそのころ、京都伏見と箱根学園のトップ争いは、富士山麓の登り坂へと入っていた。

だが――――。

「おい、見ろよ！　箱根学園がおかしい！」

と沿道の観客が声をあげた。

箱根学園に、異変!?

「二日目のレース終盤に、バラバラになってる!!」

「ハコガク先頭の赤ゼッケンと、一番ケツの４番に百メートル以上の差がついてるぞ」

いつの間にか、青いジャージの六台の自転車は、二台ずつ、三ブロックにチギれているのだ。

東堂＃３と福富＃１は京都伏見にぴったりついていっているが、そのうしろは一枚岩ではない。少しうしろに真波＃６と泉田＃５、そこからだいぶあいて荒北＃２と新開＃４だ。

ハア、ハア、ハア、ハア、ハア、ハア、
ハア、ハア、ハア、ハア、ハア、ハア

とくに箱学最後尾の新開は息あらく、うつむいている状態だ。

し……新開さん！

泉田がさっきから心配そうにふり返っている。

あなたにあこがれて、箱学自転車部に入ったのに。いつも美しく速かったのに……。

その新開が、今はボロボロだ。なんとかペダルをふんでいるようだ。

※＃…ゼッケン番号のこと

「このままバラけるのか、王者‼」と観客は心配そうなまなざしだ。優勝候補ナンバーワンだった箱根学園にピンチがおとずれている。よもや、絶対王者がまけるところを見ることになるのか、と。

その箱根学園の分裂に気づいた京都伏見の御堂筋はうれしそうだ。

「ハコガクゥちゃーん、ガンバっとるねー。プププ、ふつうのチームならとっくにバラけとるハズや。チーム最速の男が、スプリント勝負でボクにブザマにまけた時点で‼

くやしいやろ？　信じられんやろ？

でもォ、それが結果や。さかだちしても結果は変えられん‼

ロードレースは結果がすべて‼」

口ぶえでもふきそうな絶好調の顔で、スプリント勝負でまかした新開をやりこめる。

「新開くんは、もうぬけがらや。勝てるはずの新開がまけたから、チームのほかの人も心が動揺してしかたないよなあ。かっかっかっかっかっか」

そうだった。本日、レース二日目のファーストリザルト※は平坦道最速を決める「スプリント勝負」。そこで新開と御堂筋は一騎討ちをやって、御堂筋がみごとに勝利をおさめたのだ。御堂筋がいばるのもむりはない。

泉田が思わず御堂筋に言い返した。

「新開さんはおまえにまけるような人じゃないんだ！」

「はあ？　まけたんは、その新開くんやでー」

「おまえにスプリンターのなにがわかる！」

と食ってかかる。

「やめろ、泉田。ヤツの言っていることは正しい」

とめたのは、箱根学園主将の福富だ。

※ファーストリザルト…第一計測区間

え⁉　泉田はおどろいた。福富がかばってくれない。

「すべては結果だ。いくら心理戦をしかけられたとしても、敗北した者はなにも語る資格はない‼」

泉田はすごすごと引き下がるしかない。

それを見たタイミングで、御堂筋はチームへ作戦を出した。

「よし、ザクども！　作戦変更や」

京都伏見のほかのメンバーのことを「ザク」とよんだ。

「こっちは、フェイズ※13に移行する！」

今度は、京伏にしょうげきが走った。

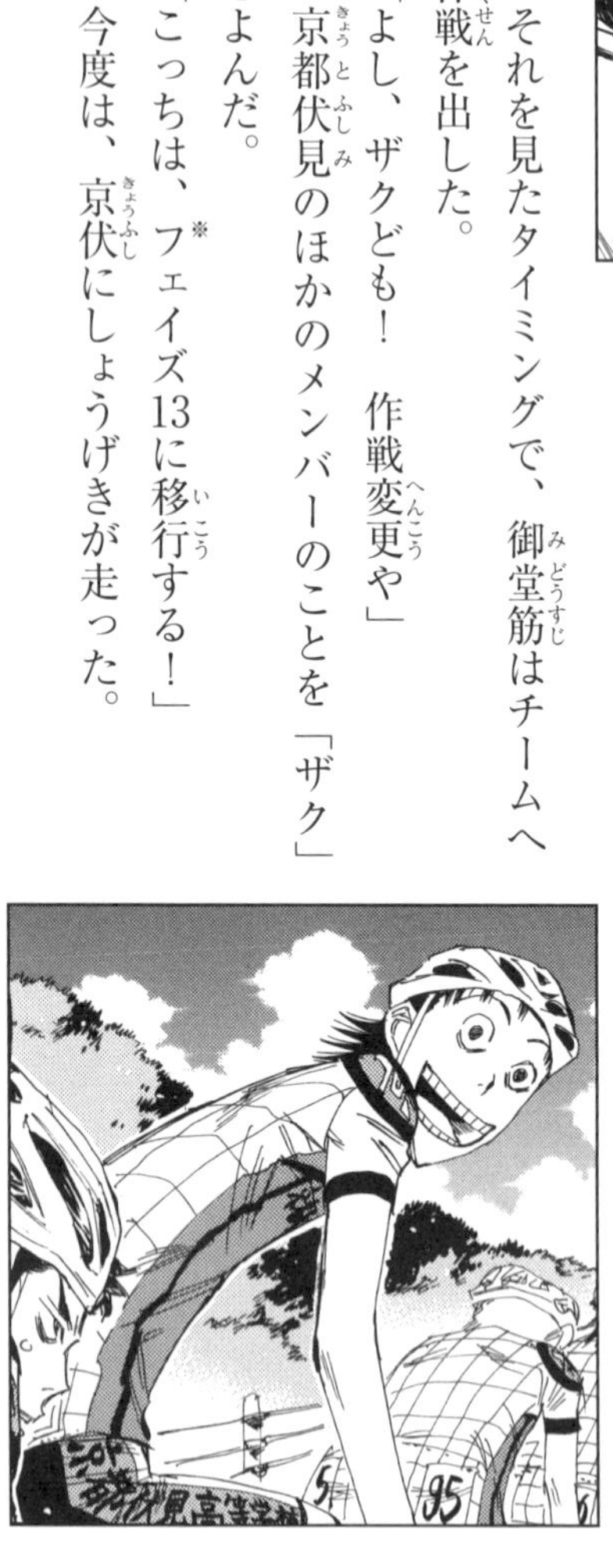



※フェイズ…段階のこと

石垣があわてて御堂筋につめよる。

「待て、御堂筋くん。カウントをまちがえとる。今はまだフェイズ10のはずや」

綿密にうちあわせした京都伏見の「作戦ナンバー」。御堂筋が11と12を飛ばそうとしているので、ほかの選手たちはとまどっている。たしかに、ここまで御堂筋の手足のようにしたがってきて、御堂筋の筋書き通りにレースは進んでいるけれども。

「ええんや、石垣くん。心配いらん。しあげするんや。今ここで」

と御堂筋は落ち着きはらって言った。

「しあげ？　……待て！」

と石垣はとめようとした。すると、

「今ここでや‼　トドメは死んだと思ったあとに刺すものや‼」

と御堂筋は声をはりあげた。

死んだ箱根学園にトドメを刺そうとは……。みんな御堂筋にふり回されている。

石垣がだまったのを見て、御堂筋はちゅうちょなくメンバーに指令を出した。

「フェイズ11と12は破棄。フェイズ13に直接移行。
二日目のゴールにむかって加速や!!」

その声が聞こえた福富はおどろいた。

なに、加速？　動くのか、京伏!!!
予想外だった。福富には御堂筋の作戦が読めない。

東堂も反応した。
ヤツら、動く!?　しかし、……どうするつもりだ。今、六人をつれての山の加速は京伏も箱学も条件が同じ。加速しても決定的な差は作れないぞ。

と、そのとき、
「フェイズ13は死の数字！」

とさけびながら、御堂筋がダンシングに入った。
すでにかなりの速度を出して坂を登っているのだが、
さらにケイデンスをあげる。そして、
「山の苦手なスプリンターをすてていく作戦や‼」
と意気揚々と言い放った。
京都伏見のスプリンターの井原と山口は
おどろいた。この作戦は登り坂が苦手な
自分たちをおきざりにして、四台だけ
がペースをあげるという、ざんこく
な作戦なのだ。
「待ってください！」
そんな声など聞こえないかのように
前進する四人。二人は絶望のふちに立たされた。

石垣（いしがき）は「すまない、井原（いはら）、山口、平坦（へいたん）でがんばってくれたのに!!」と悲痛（ひつう）な表情（ひょうじょう）だ。

それを見て、箱根学園（はこねがくえん）のスプリンター泉田（いずみだ）が、

「スプリンターをおいて!!」

と目を見開いてさけんだ。

御堂筋（みどうすじ）は、泉田にむかって、

「つめたいと思うか、箱学（ハコガク）ゥ。そりゃそっちがあったかすぎやで。役に立たへん重たい荷物（にもつ）は、すててゴールへ進む。それがロードレースの常識（じょうしき）や!!」

と勝ちほこったように言った。

「そうだな、おまえの言うことは正しい」

と思わぬ声がした。福富（ふくとみ）だった。

そして、その声と同時に、福富と東堂（とうどう）も飛び出したのだ。

これには箱学の選手たちもおどろいた。
自分たちもおいていかれるのか？　と。
そして、福富はきっぱりと言った。

「お荷物はいらない」

レースは動いた。隊列が変わった。
沿道の観客がわく。
「六対六の陣形が変わったぞ!!」
「王者・箱学が本当にばらけたぞ。
エースが京伏を追って加速したぞ！」
「山の苦手なスプリンターを切りはなして、
一気に加速だ!!」

紫ジャージが四台、青のジャージが二台、先頭を争って坂を登っていく。

ガシャーーーーン

いやな音がした。おいていかれた京伏の二台が、次々に落車したのだ。

そこに審判車がとまり、係員が急いでおりてきた。

「キミたち、だいじょうぶか？　ケガはないか、走れるか」

井原と山口には、力がなかった。

「もう、むりです。リタイアします」

リタイアだと！

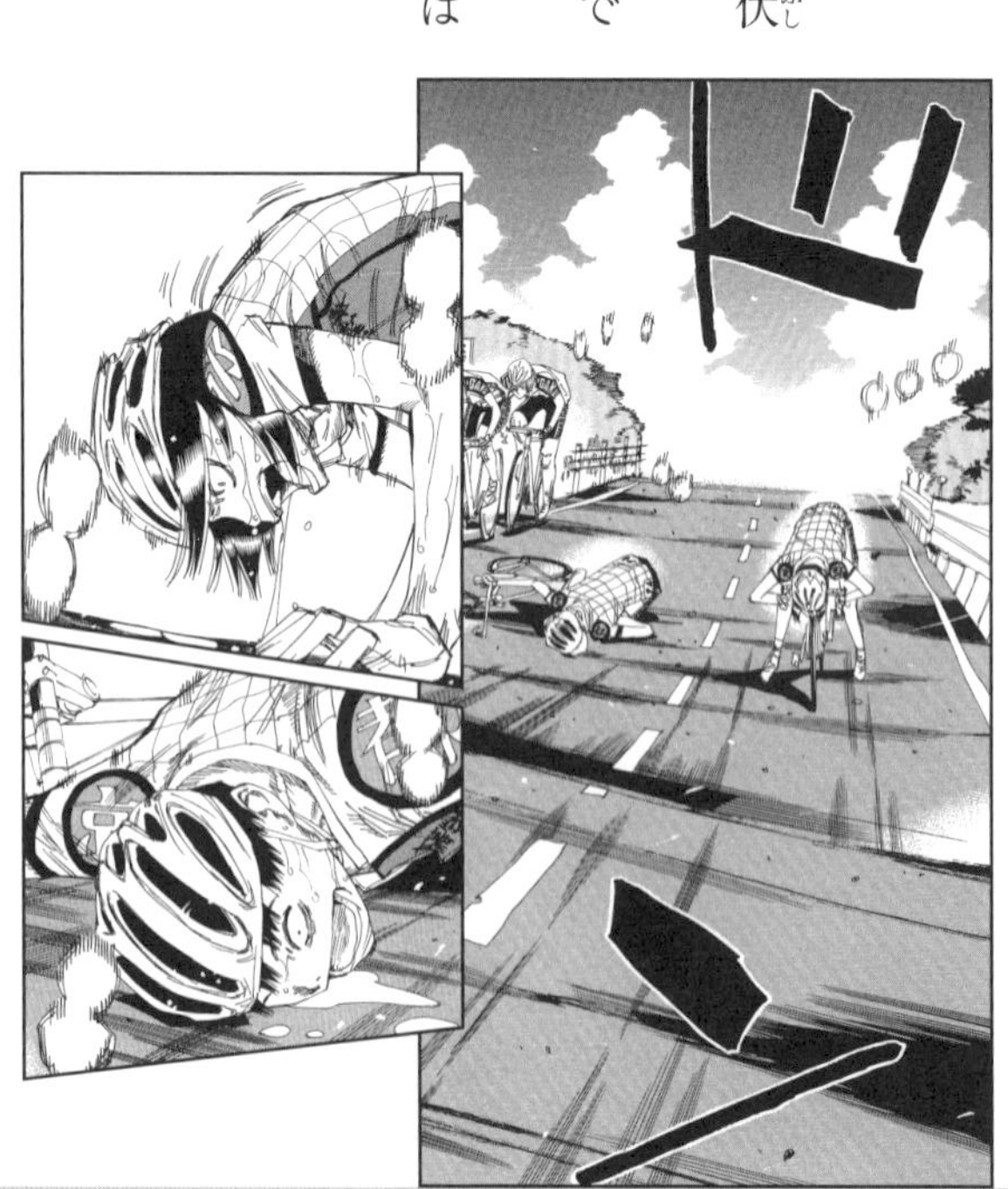

泉田は二人のすぐ横を通りながら、見てはいけないものを見た気がした。さっきまで快走していた紫ジャージのスプリンターが、係員にかかえられている。

心がおれたんだ。チームにおいていかれたショックと疲労と、このあつさで、心が。

そして泉田は自分の手をじっと見た。あせをびっしょりとかいていた。

なんだ、このいやなあせ……、福富さんは敵を追っていっただけだ。

だけど、たしかにあのとき、福富さんは「お荷物はいらない」って言った。

結果的にはボクらはおいていかれた……スプリンターが、お荷物ってことですか⁉

「うわああああああああああああ！」

「どうしました、泉田さん」

思わずさけんだ泉田に、すぐ前を行く真波がふりむいて声をかけた。

「いや、なんでもない。前を引いてくれ、真波」

そうだ、新開さんは……どうしただろうと、泉田はふり返った。

だいぶうしろに荒北と新開がいる。新開はずっとうなだれたまま、なんとかペダルをこいでいるようだ。新開を引いている荒北は、口を大きく開けてあらい息で坂をあがってくる。

## こっちがわの人間

山を登る一陣の風のように、音もなく坂を行くのは紫ジャージ四台。
そこへ、青いジャージ二台がなんとかへばりついている。
御堂筋が口を開く。
「いやあ、いいねー、後陣をおきざりにするいさぎよさ！
まぎわ、一瞬の判断力！
表情一つ変えない冷酷さ！
見てて気持ちいいくらいや。さすが王者、箱根学園やー」
御堂筋は福富をほめているのだ。
「正しいことを、正しいと判断できる……足もとがブレてへん。ええわ。プププ。

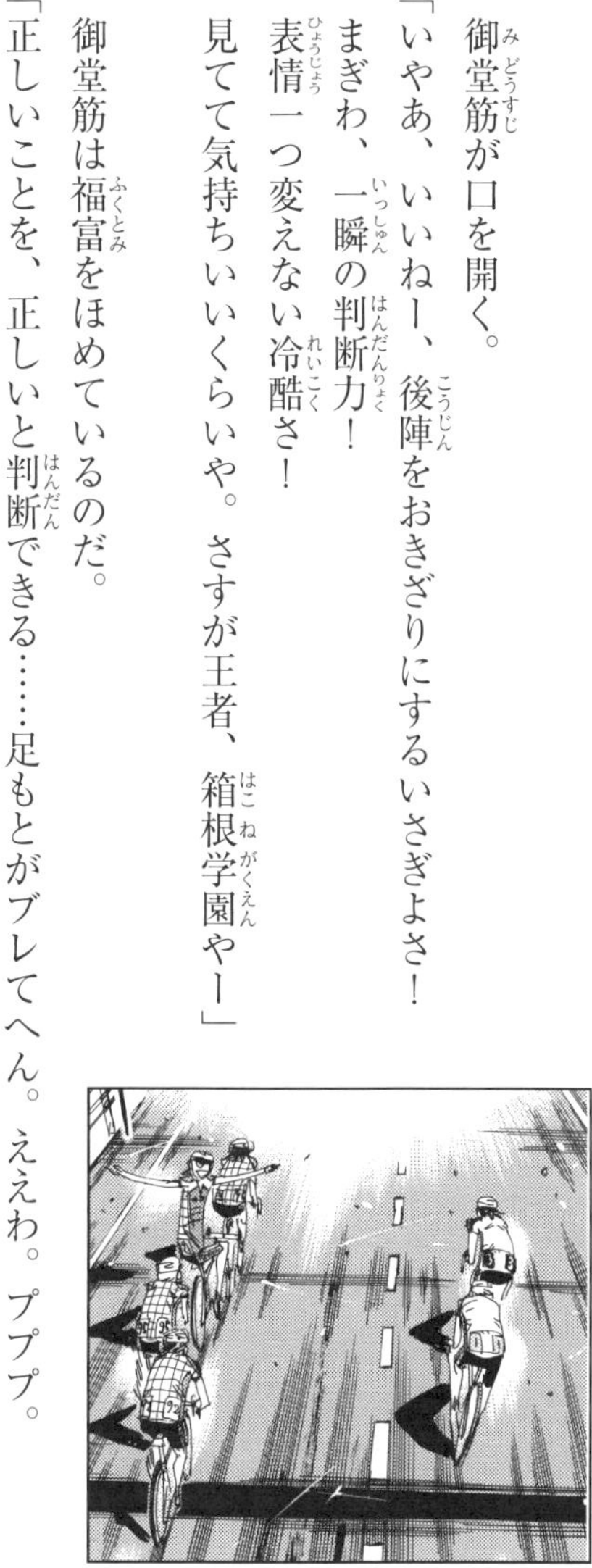

おまえら、完全に、こっちがわの人間や！」

御堂筋は長い舌をベロンと出して、箱根学園の二台においでおいでのポーズをしたが、
東堂と福富は能面のように無反応だ。

御堂筋は話し続ける。

「でも、こっちがわの人間でなければゴールはねらえへん‼
やさしいヤツ、
思いやりのあるヤツ、
後輩想いの先輩、
最後のキワで仲間のことを考えるようなヌるいヤツ、
そんなヤツは絶対に勝てへん‼
ロードレースは、他人をおしのけて、割りこんで、だまして、おとしいれて、
〝一番〟〝ゴール〟をねらうんや‼
己の勝利のために。己が勝ちたい気持ちのために‼
大事なのは己‼
己の証明、
己の存在理由、
己の顕示のために、

ほかの人間はチギれて死んでも心がいたまない‼
そういう〝業〟がなければ、しれつなゴール前では勝利できんのや‼」

業……って、とそばで聞いていた石垣はふくざつな気持ちでつぶやいた。

御堂筋の大演説は、ますます調子が出てきた。

「おまえらなら、わかるやろ」

敵チームの箱根学園に、御堂筋は同志のように語りかけた。

「ほら、レース一日目の『総合』と『山岳』。カラーゼッケンを背おっとるんやから‼」

福富の腰には前日のレース総合一位を表す黄色いゼッケン。東堂の腰には、前日の山岳部門一位を表す赤いゼッケンがついている。

「色つきのゼッケンは、群れいる他人をおしのけた、冷酷な〝業〟のあかしや‼」

そこで、初めて福富が口を開いた。しずかな声だった。

「オレは勝つために最良の選択をしたまでだ。弱者は落ちればいい。強者が生き残る。それがロードレースだ‼」

御堂筋は口をおさえながらわらった。

「ププププ。たのぉもしい‼　さすがや‼　ええよ、そういう考えは‼」


そのやりとりを聞いていた石垣は、「福富は前に話したときはもっと人情にあつい印象やったが……こいつも……御堂筋みたいな人間なのか」とがっかりした。

御堂筋は、今度は東堂にいやらしく語りかけた。

「ほら、ゴールまで残りは十二キロや。けど、その手前、残り二キロのところに山岳リザルトライン※があるで！　東ドウくん‼」

東堂はくちびるをぎゅっとむすんだ。

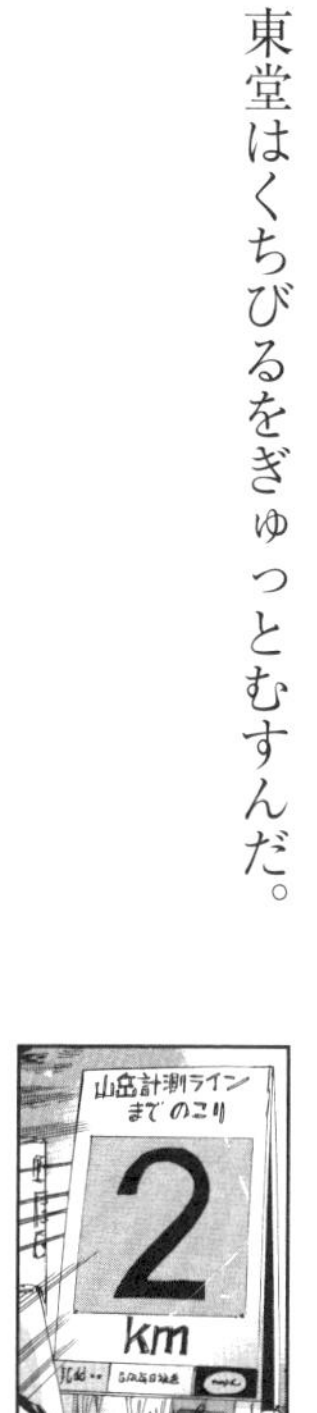


※山岳リザルトライン…第２計測区間。登り坂の最速選手が決まる

「東ドウくん……『山神』って言われとるやろ？　一日目ははでに取ったらしいやないの。勝負しよか‼　ボクとぉ」

そういうと、御堂筋は、自分の鼻をぎゅっとおして、それから、

「……キミでぇ‼」

と東堂を指さした。

「フェアにやりあおか？　あ、あーー、ちゃう、ちゃうな、フェア……やないな、うん。キミはエースを守らないかんからな、うん。好き勝手には走れんわ。なんせボクら、四対二やからな‼

ほなーーーーーーーーーーーーーーーー」

そう言うと、御堂筋はぶっとばして、先へ行ってしまった。

# 王者交代

「山岳リザルトは、京都伏見91番！」

とアナウンスがひびきわたった。御堂筋が、あっけなく山岳リザルトを取ったのだ。箱根学園は手も足も出なかった。リザルトライン付近で見物していた観客は大熱狂だ。

「すげぇ‼　あいつ今日、一日で、グリーンゼッケンとレッドゼッケン、両方取ったぞ」

「何者だよ、おいっ」

「流れがハコガクから京伏にいっている。こりゃあ、王者が交代するぞ！　このレースで」

「歴史が変わるのか？」

「京伏ッ‼」「京伏ッ‼」「京伏ッ‼」

観客から京伏コールがわき起こった。御堂筋の走りは客を味方につけている。
御堂筋は両腕を大きく開いて、声援にこたえた。

ふるえろ
おののけ
歓喜しろ

これが
王者交代の瞬間や‼

「すげぇ！
京都最強だ！」

「京伏ッ‼」「京伏ッ‼」「京伏ッ‼」

御堂筋を先頭に、京都伏見の四台がリザルトラインを通過。おくれて箱根学園の二台が来ると、「山神どうしたァア」と観客から声が飛ぶ。

御堂筋の背中を見ながら石垣は思った。

これはすごいことになってきたわ。
二日目のスプリントと山岳、二つのラインをトップで通過。
前半のスプリント勝負を制してから、ずっとオレたちのペースや……。
あいつの言うた通りになっとる…。

大歓声にうれしい気持ちが起こりながらも、ふくざつな感情が体の中に起こっていた。

王者と対等に闘って、引きはなし、バラバラにまでした……。このインターハイでや!!
去年、さんざん苦労して、チーム総合九位でしかなかった京都伏見が!!

そう考えたとき、御堂筋がこちらをチラリとふりむいた。
してやったり、の表情だ。

目が合った。石垣の心臓がドンとなった。

石垣は御堂筋が自転車競技部に入ってきた日を思い出した。

## 石垣の回想

この四月、インターハイをめざして、京都伏見の自転車競技部は希望にみちあふれていた。今日は新チーム初日、新チームのキャプテンになるはずだった石垣は部室でメンバーに言った。

二年生になったばかりの山口も、水田も聞いていた。

「自転車で大切なんは、がまんやと思っとるんや。

がまんして、がまんして、勝利をつかむのがロードレースやからな。

山口も水田もまだまだやけど、がまんの走りができるようになってきた。

がまんは一人でするのは大変や。けど、みんなでならたえられる。先に行けるんや。

オレはこのチームを、みながおたがいのことを思いやれる、がまんのできるチームにしていきたいんや。

今年の京都伏見は、今までにないくらい、いいチームになると思っとるんや!!」

そこまでしゃべったとき、ものすごく背の高い、ものすごくやせた一年生が、ユラッと部室に入ってきた。手には、レーシングシューズとヘルメットをさげている。

「すんません」

「おお、一年生か！　ようこそ京都伏見高校自転車競技部へ‼」

と井原が出むかえ、肩をポンとたたいた。その手を、この一年生はざつにふりはらうと、

「エースナンバーイチは、ボクがつける」と言った。そして、

「コースはまかせます。勝負させてもらえませんか、エースさん。そしたら、わかってもらえると思います」

と、石垣に向かって言った。

すぐに石垣とこの一年生との勝負が行われた。石垣は惨敗した。この一年生は現メンバーとは比べものにならないほどの才能にあふれていた。

部室にもどってきた石垣は、この一年生こと御堂筋にこう言った。

「……わかった、エースナンバーはゆずろう……」。部員たちはどよめいた。

「でも、どんなチームを作る気かを聞かせろ。ノープランなんやったらゆずられへんな」

「ボクがほしいのは人数や。六人おらんとインハイ出れへんからな。だれでもええ。人格は関係ない。問題は命令通り動くかどうかや。言うなれば……軍隊。独裁チームを作るんや‼」

「待て、御堂筋……それは……」

御堂筋の答えは、石垣の想像をはるかにこえていた。

「おい一年ボーズ、ゴラァ。おまえ、エースだけでなく、チームもバカにすんのか。もうゆるさんで」

とメンバーたちはあらぶった。御堂筋は、

「今年の全国インターハイの目標はなんや？ 上位入賞か？ 小っさ。ミミズなみや、ププ」

と、背中をまるめて、おかしそうに言った。

「ボクにかしずけ……手足のようにはたらけ……、今年のインハイの目標は、完全優勝や‼

三日間総合優勝――インターハイの頂点や!!!」

ザワッ
え？ インハイ……優勝……⁉

石垣はとりはだがたった。優勝という言葉が出て、部室の空気は一気に変わった。

「スプリントのグリーン、山岳のレッド、総合のイエロー、カラーゼッケンを全部取って、王者・箱根学園をつぶす!! ボクが目標にしているのは一位や」

……雲の上の存在だぞ、箱根学園なんて……。

石垣は箱根学園をたおすなんて考えたこともなかった。

「王者交代や!!」と御堂筋が高らかに宣言すると、部員たちは悪魔に魅入られたかのように、みじろぎひとつしなかった。

言っていることはゆめのようやけど、今見た走りなら、御堂筋がいれば、本当にできるかも……しれへん、と石垣は正直に思った。

部室内の空気を制圧した御堂筋は、ニコッとわらっていた——あの日——。

石垣は、あの日のことを思い出して、れいせいさを取りもどした。

あの日からチームは変わった。オレは正直、今のチームのふんいきは好きじゃない!!
でも、今、二日目ゴールまで残り十キロのところで、チーム四人で独走しとるんや。
みとめたくはない、けど、こいつのやり方は正しかったのかもしれへん。

井原、山口、あいつらを切りはなしてでも……本当は助けてやりたかった……すまん。
オレに力がないばっかりに――。

「石垣くうぅんーーーーー!!」
と自分をよぶ御堂筋の声に気がついた。

「さっきから、ペダリング、ゆるんどるで? 今、ゴール前十キロやで。緊張感がたりんちゃうか。ちゃんと回しや。はたらけへん兵隊は、いつでも切るで、石垣くん!!」

「新王者ァ!!　京伏ー!!」

「京都ーーー!!」

沿道からワンワンと聞こえてくる声援をくぐりながら、石垣の心のうちを見すかすように御堂筋は話した。

「……てな。まあ、キミにはまだ仕事があるからここで切りはなしたりはせんけどな」

「ああ、すまない。ちょっと考えごとをしててな」

「すてたほうがええで、つまらん感傷や思い出話なんか、すてな。
感情も、
友情も、
すてな。
すてて、すてて、最後、〝勝利〟という結晶が残るまですてて。
それが『勝ち』を目の前にころがすんや」。そう言うやいなや、

ドン――――ドガアアアア――

また加速――――。

「リザルトラインをこえて、すぐに登り坂でさらに加速するというのか……京伏」

京都伏見の背中をうしろから見ながら、福富はつぶやいた。

しかし、東堂がすぐにまけじと加速、福富がそれについていく。

青いジャージが必死で紫のジャージにならびかけていく。

## フェイズ14

「それでは、フェイズ14!!!　先頭を交代しながら加速!!　箱学ゥをふりきれーー!!」

と御堂筋が指示をとばす。

ハッ　ハッ　ハッ　ハッ　ハッ　ハッ　ハッ
ハッ　ハッ　ハッ　ハッ　ハッ　ハッ　ハッ

息をあらげて箱根学園がそばに来ると、御堂筋がまた口を開いた。

「ププ、なみだぐましい追走、最後まであきらめない王者……カァッコエエ～。けどすでに王手がかかっとるで、おまえら！」

「待ってくれ、御堂筋くん――」

御堂筋の言葉をさえぎったのは、意外にも石垣だった。

「福富とはレースで何度も話したことがあるんや。最後はオレに話をさせてくれんか」

〝最後は〟とは、福富がチギれてうしろに行くのは時間の問題だ、と考えていたからだ。

「ええで。まったく、すてきれん男やわ」

と御堂筋があきれたように許可した。

石垣はこぎながら、福富の真横にならんだ。

「なんだ、石垣」

「なぜ……追う」

「勝つためだ。オレはゴールをねらっている。だからだ」

福富のようすは変わらない。顔色も、声色も変わっていなかった。石垣はたずねた。

「クライマーの東堂もずっとおまえを引き続けて消耗しとるやないか。オレたちは交代しながら走れるから力を温存できる。けど東堂はもうすぐ限界のはずや。まだゴールまで八キロもある。この道のりを二人で行くのは、むぼうや……！　箱根学園としてのプライドか、王者としての……。四人対二人や。箱根学園に勝ち目はないんや!!」

「なぜ、そんなことが言える」

「おまえは――、仲間をお荷物と言って切りはなした時点で、まけが確定してたんや!!」

福富はなにも言わない。たんたんとこいでいる。

「今年の箱根学園は、中学からの同級生のおまえと新開と、仲のいい四人の三年生が中心となってまとまっていると聞いていた。実際にとてもいいチームやと思った。……う」

そこで、なにかを言いかけて石垣は言葉をのみこんだ。

うらやましい——と思っとったんや。

「——ったんや……。ロードレースは、一瞬の判断ミスですべてがひっくり返る。この先、ゴールは、このゆるやかな登りを終えて、ピーク※をすぎて下った先にある。

登りで力を使いはたしたクライマーはゴール前では力にならん……。ゴールで闘うためにはエースを最後まで目いっぱい引っぱるアシストが、エースを引っぱって発射させる発射台がひつようや!! 今、この時点で……福富、おまえの発射台は0台。オレたちは、オレと水田、二台の発射台があるんや!! どっちがどれほど有利かわかるやろ……」

※ピーク…峠のこと

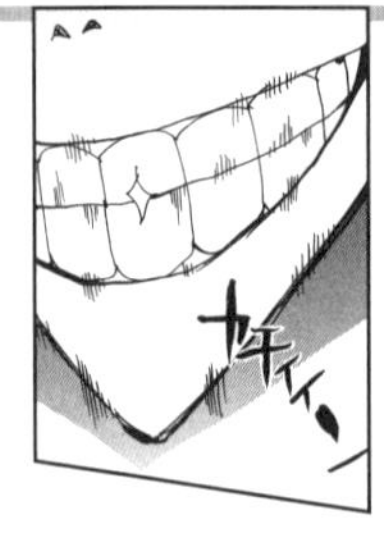

そのときカチィィンと歯がなる音が聞こえた。音を出した主は……、
「結論（けつろん）は目に見えとる。王手がかかっとるって言うたやろ、残念（ざんねん）やったな……すべて計画通りや」
と横から割って入った御堂筋（みどうすじ）だ。

「なんの計画だ」

だまっていた福富（ふくとみ）がようやく口を開いた。石垣（いしがき）が、

「強がるな、福富。王者は王者らしく散（ち）るんや！　仲間（なかま）をおいてきた時点で――」と言うのをさえぎって、

「おいてきた？　なにを言っている石垣。オレはあいつらをおいてきたおぼえはない」と言った。

「⁉」

「ハハハ、強がっとりますよ、往生際（おうじょうぎわ）悪いっスね‼　〝お荷物（にもつ）はいらない〟って言ってましたよ」

と今度は横から水田が口をはさんできた。

「おまえは知らないのか。箱根学園のメンバーがどれほどの練習をしているか。〝王者の期待〟にこたえて、責任をはたすためにどれほどの努力をしているかを。おまえの想像などとうにこえている。箱根学園というチームには、はじめからお荷物などいない‼」

福富がギロリと石垣をにらんだ。

石垣は思わずうしろをふりむいた。

来るってことなのか？　うしろの四人が⁉

追いかけて？　いやまさか。

「オレたちは王者だ」

と力強く、福富は言った。

# シングルゼッケン

まずい、さっきから二人ともうなだれたままだ。

山で心がおれたら、リタイアする！

そう考えた泉田は、

「新開さん、荒北さん、顔をあげて！」とさけんだ。

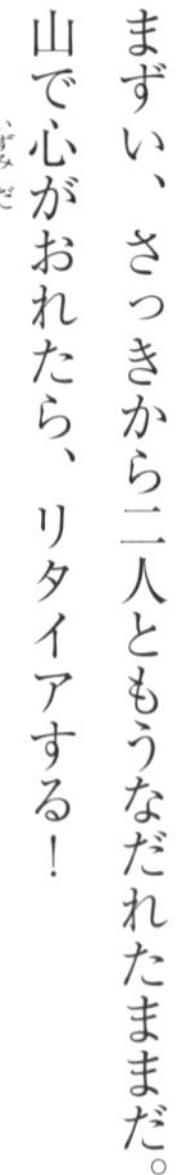

先頭のはるか後方、箱根学園のメンバーが真波—泉田—荒北—新開の順番で走っている。

「このくそあついのに大声出して、泉田！　なおあつくなるじゃねーか、バァカ!!」

「荒北さん!?　え……あ、はい、すいません」

「ったく、こっちはボロボロの新開をさんざん引かされて、くたくたなんだよったく、夏にインターハイやるなよ!!　つかれるからァ！」

いつにもまして荒北は口が悪い。泉田はそれを聞いて
これならだいじょうぶと思った。

「ったく、こいつがまけて帰ってくるから悪りィーんだよ。チームのふんいきが悪くなっちまうしよ。京伏には先を行かれちまうし。自信満々で飛び出してまけんなよ。カァッコわりイ。サイアクだよ、この……」

「ちょっと、まっ、言いすぎ……荒北さん」

「おめーのせいだよ、このダメ4番‼」

「いやぁ」と、新開が口を開いた。補給食をカリッとかじっていた。

「おかげで、だいぶ回復させてもらってるよ‼　ありがとよ、靖友」

回復(かいふく)！　新開(しんかい)さんが回復している……!!

新開は、ただうなだれていたのではなかった。

「ハッ、るっせ。礼(れい)とかキモイんだよ!!　どのチームだってギリギリでやってんだァ!!　つかれるし、めんどくせーけどよ、オレが引っぱんねーと、おまえを引くヤツ、だれもいねえだろっ」

「ここまで走れるようになったのはおまえのおかげだ。引くヤツがおまえでよかった」

「るっせ、ほめんな!!」

「最強(さいきょう)チームで闘(たたか)ってきた先輩(せんぱい)たちには、ボクにはわからないきずながある。すごい!!　信頼(しんらい)やきずな、それ以上(いじょう)の力が二人からあふれてきているッ!!」と泉田(いずみだ)は二人のやりとりにおどろいた。
「けど、レースはサイアクだ。先行した京伏(きょうふし)は四人、うちは福(ふく)ちゃんと東堂(とうどう)の二人。明らかに劣勢(れっせい)だ」と荒北(あらきた)。

「だったらなんとか、ばんかいしないとな、靖友」

「ああ、そうだな、死ぬ気でな……」

そのとき、真波が話に入ってきた。

「んじゃ、とりあえず、福富さんに追いつかなきゃいけないですね。あ、だいじょうぶです。ボクが全力で引きますから」

そう言うと、スーッと前に出て、真波―荒北―新開―泉田の四両編成になった。

「ハッ、ったく、ニヤついてんじゃねーよ、真波。そんなに坂が好きなのかよ」

「はいっ」

「あんま飛ばすなよ、スプリンターは山が苦手なんだ」と新開が声をかけた。

そして泉田に、「行こう、泉田、すまないな、心配かけて」と言った。

「いえ……はい、新開さん！　でも、荒北さん、福富さんはボクらのことをお荷物と言いました。ついてくるなという意味じゃないんですか」と泉田は聞いた。

「バァカか、オメーは。ぎゃくだ、バカ。お荷物のつもりかよ‼　あれは箱根学園のシングルゼッケンを背おってんだったら、つべこべ言わずについてこいって意味だ‼　ったく、福ちゃん‼　てめェの要求はいつも過酷すぎんだよ。つかれるじゃねーか、鉄仮面‼」と荒北は答えた。

ハッとわかった泉田はやる気がみなぎってきた。

## あきらめない

「どしたんすか。さっきからみんな、うしろばっかり気にして。ハッタリですって‼」

「来た」

水田が熱くなっていた。

「来た」

と御堂筋が言った。

坂をうしろからあがってきた。青いジャージが四台。

「ようやく来たか」

と福富が言った。

「先に行きすぎだよ。つかれるじゃねーか、福ちゃん!!」

と荒北がもんくを一発言った。

「寿一、すまなかったな、いろいろ」

と、新開が言った。

これで箱根学園は六台がそろった。

「来い、挑戦者!!」

と、京都伏見にむかって、福富が力強く言った。

「オレたちが王者だ」

水田が、

「なんや、
なんや、なんや、
なんや、こいつら一体、
さっきまでばらけとったくせに、スプリントでまけたくせに、今さらしゃしゃり出てくんなやァ!!
ムカつく、ムカつく、ムカつくわ!!」

とさけんだ。

「新王者はオレたちや、
新王者は、
王者は、オレたちや!
証明してみせるわ、
オレがぶっちぎりでゴールをとって!!」

頭に血が上った水田がスパートした。そのとき、

「水田くぅぅうん‼

発射台が、なに、勝手に発射しとるの？　合図があるまで出たァ、あかんやろ」

御堂筋が追いかけていって、水田の顔をつかんだ。

「す、すま、かんにんや、御堂筋クン。列をみだしてしもうた」

水田はかい犬がほえるのをやめるようにすぐにしずかになった。

御堂筋は、落ち着きはらっていた。

「箱学ごときにビビって……ザクめ。よう考えや。これくらいのこと、何百通りのシミュレーションしてきとるんや。ボクが考えんと思うか、この状況はしょせん、シミュレーションの範囲内や‼

箱学の追走四人は、ププ、つかれて使いものにならん。びょうぶの絵がごうかになっただけ。状況は変わっとらんよ!! 手の上の玉は少し横にゆれただけで、まだボクらの、手の中にある!!」

福富がジャアッと御堂筋の横につけて、プレッシャーをかけるように聞いた。

「なんの玉の話だ」

御堂筋はうすらわらいをうかべながら言った。

「いややわ。こっちの作戦会議を聞かんといてや。王者のくせに、せこいで……」

「いや……。レースの状況をつかめていないなら、教えてやろうと思ってな」

「ありがとう、しんせつに。おーきにや。なんや？ 言いたいことは『うちの追走四人はまだ走れるで』――か？ それとも、『六対四で追いこまれたなァ――』か？ あ、わかったで、いつもの『オレは強い』か!?」

御堂筋はヘラヘラと福富を挑発した。

「ああ強い‼」
「ププ、たいした自信や。さすが王者や‼　ハコガクゥとゥ、ボクでぇ、どっちが真の王者かを、決めよう」
「やはり……、状況をわかってないようだな」

ピク
御堂筋のまぶたがふるえた。

「まだ、なにかあんの？」

たずねた御堂筋に、福富はこう言った。

「〝どっち〟がではない」

「ハァ？」

「〝どっち〟じゃない？　なにを言っとるんや、福富は」と石垣（いしがき）は思った。

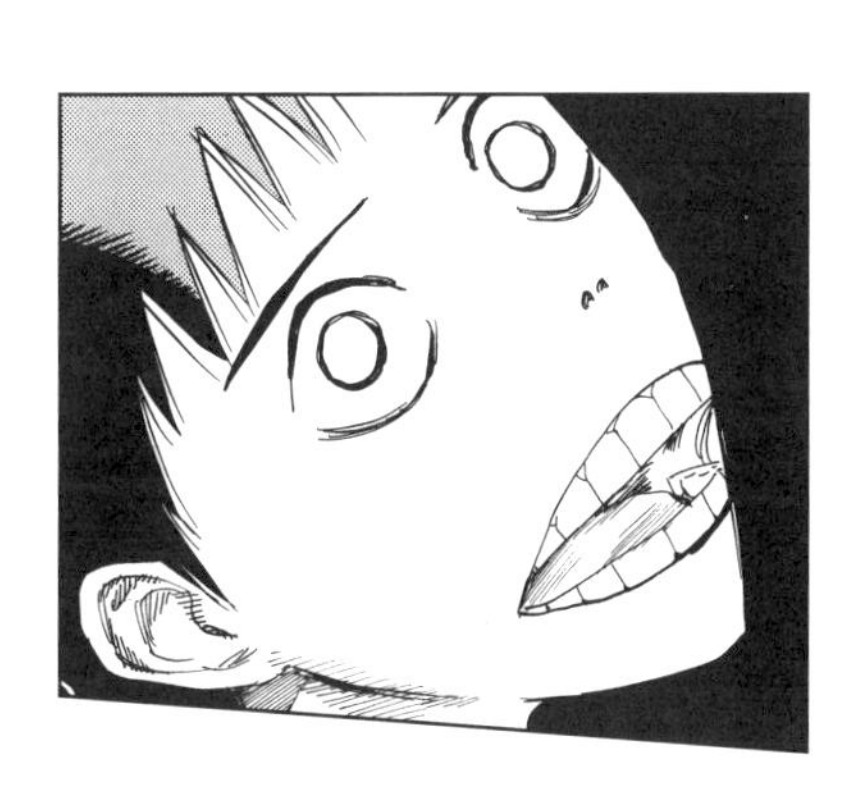

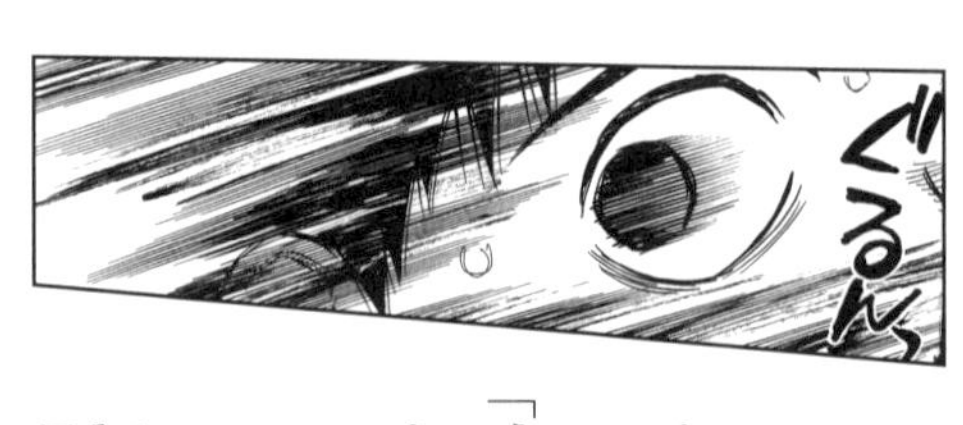


いやまさか、

と御堂筋は思った。

「感じるだろう、ヤツらが発するプレッシャーを」

と福富が言った。

いやいやありえへん

おちた　おちた　あいつらは　おちた!!

早々におちた!!　と御堂筋は自分に言い聞かせた。

「おまえも見おぼえのある連中だ。このゴール前、オレたちに挑戦するもう一つのチームは……たとえボロボロになっても、絶対にあきらめない男たちだ!!」

と、ふり返った御堂筋の目に黄色いジャージが入ってきた。うしろから来た!!

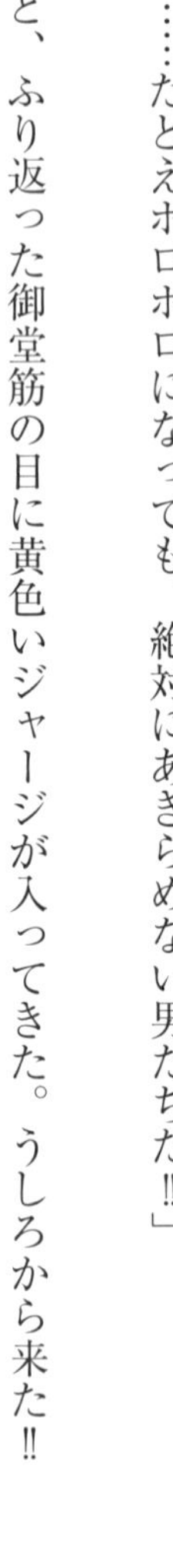

「福富‼」

「金城‼」

男たちが名前をよびあった。

「しっつけ‼」と荒北がさけんだ。

バカな　バカな　バカな
バカな　バカな　バカな
来るわけない　来るわけない
ヤツらの実力じゃ
なぜ？

御堂筋の視線は、坂道の顔に
ピントが合った。

メガネ！　あいつが引っぱっているのか！
やっぱりあいつ、量産型（りょうさんがた）やなかったかァ‼

坂道はおくれた田所を引き、合流してからの登り坂では巻島（まきしま）と交代でチーム総北（そうほく）を引いてきた。
そして、とうとう追いついた。

「金城さん‼　ハァハァ、なんとか、ギリギリ、箱根学園に追いつきました‼」

と坂道が報告した。

「よくやった」と金城が坂道の背中に手をおいた。

「ショ」と巻島が坂道の腰をポンとたたいた。

「さぁ、勝負だ、箱根学園、そして京都伏見‼」

と金城がさけんだ。

「来たか、総北」と荒北がニヤリとわらった。

「すごいな、坂道くん」と真波はどこかうれしそうだ。

「まるで、ふりだしにもどる、だな」と福富が言った。

金城は左手をにぎってガッツポーズをした。

ピ……ギ……

御堂筋（みどうすじ）はおののいて、歯をイーッとかみしめた。

「早々（そうそう）にチギれてバラけるんやなかったんか‼　総北（そうほく）ゥ‼」

と京伏の水田がうめいた。

「いや、一度はチギれた、ばらけたんよ。オレたちは見た。でも、こいつらは、もう一度集まって、もう一度先頭まで追いあげてきたんや‼」

石垣（いしがき）は信じられないものを目にしている気がしていた。

こうふんした石垣がさけぶのを聞きながら、御堂筋がうめいた。

ベンジョバエ‼

# 第三章
# ゴールへの情念(じょうねん)

# 坂道のつかれ

金城が「よくやった！」と言ったとたん、坂道は気がぬけた。

ハァ、ハァ、ハァ、ハァ、ハァ、ハァ、ハァ、ハァ〜、

気力も体力も限界だ。意識がもうろうとして、フラッと自転車がたおれかけた。

あ！　と思ったそのとき、

「こっからがゴール前本番や！」

と声がして、だれかが坂道の体をつかまえた。鳴子だった。

こけずにすんだ坂道は、なんとか息をととのえようとした。

「あり……がとう……、鳴子くん」

「アホッか、友だちやろ。助けんわけないやろ」

「でも、ご……めん。もっと早く先頭に追いつけばよかったん……だけど、ボク……力……が……限界で……」

話しているとちゅうで言葉がとぎれる。坂道はもう息もたえだえだ。

「アホか‼ 巻島さんと二人でじんじょうじゃない〝オニっ引き〟。おかげで追いついたんや。メッチャかっこよかったで、小野田くん‼」

鳴子はこの小さなヒーローを勇気づけようとした。

「えへ……うれしい」と坂道がやっとわらった。

ハァ、ハァ、ハァ、ハァ、ハァ、ハァ、ハァ、ハァ、

「でも、もう、ボク……走れない……ここでリタ……」

鳴子の手をはなれて、またもや坂道は自転車ごとふら～とたおれていく。

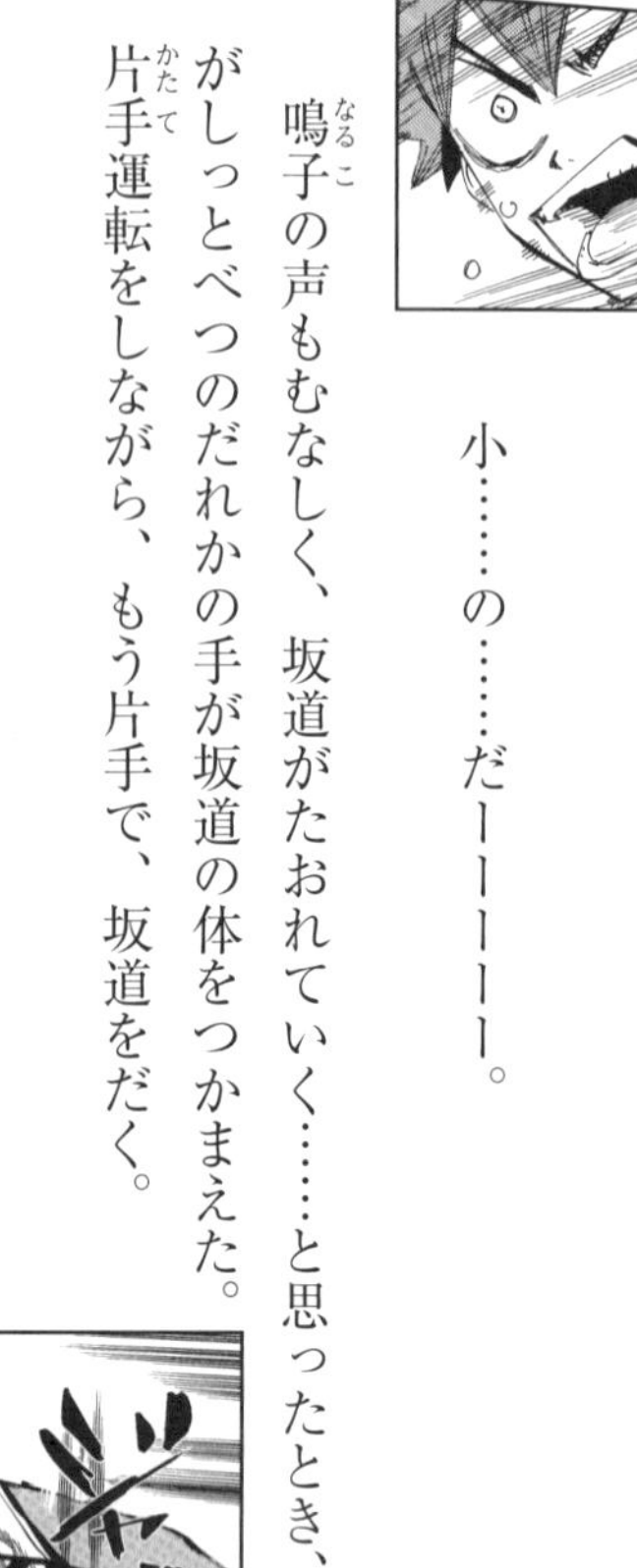

小……の……だーーーーー。

鳴子の声もむなしく、坂道がたおれていく……と思ったとき、がしっとべつのだれかの手が坂道の体をつかまえた。

片手運転をしながら、もう片手で、坂道をだく。

「スカシ‼」

鳴子がさけんだ。

今泉だった。

「ダメだ。リタイア？
それはオレがゆるさない‼」

と今泉は坂道にきっぱりと言った。

坂道はハッとして今泉の顔を見あげた。

「おまえは一年生レースで〝いっしょに走る〟と言って、本当に追いついた。〝インハイに行く〟と言って、本当にそのジャージを着た。おくれた田所さんをつれてきて、〝ハコガクに追いつく〟と言って、本当にやりとげた」

今泉がたんたんと語っている。

「オレは正直、走りながらも半信半疑(はんしんはんぎ)だった……。つかれきったチームがトップに追いつくことなんて、本当にできるのかってな。だがおまえはやりとげた!! オレはおまえをうしろから見て、あらためて教えられた。思い出させてもらったよ」

え……ボクはなにかしたっけ。

と坂道は思いつかなかった。

今泉は力強く言った。

「想(おも)いはとどく!!」

それを田所が、鳴子が、金城が、巻島が聞いていた。
今泉は続けた。
「三日目まで行くんだろ。ゴールを見るんだろ。その言葉、うそにするなよ。
それでも、もし今、走れなくなって、足が動かないつんなら、
オレがゴールまで全力でつれていってやる」
「今泉くん‼」
坂道は元気が出てきた。そして、
お、いつもの元気なスカシにもどりよった‼
と鳴子は思った。

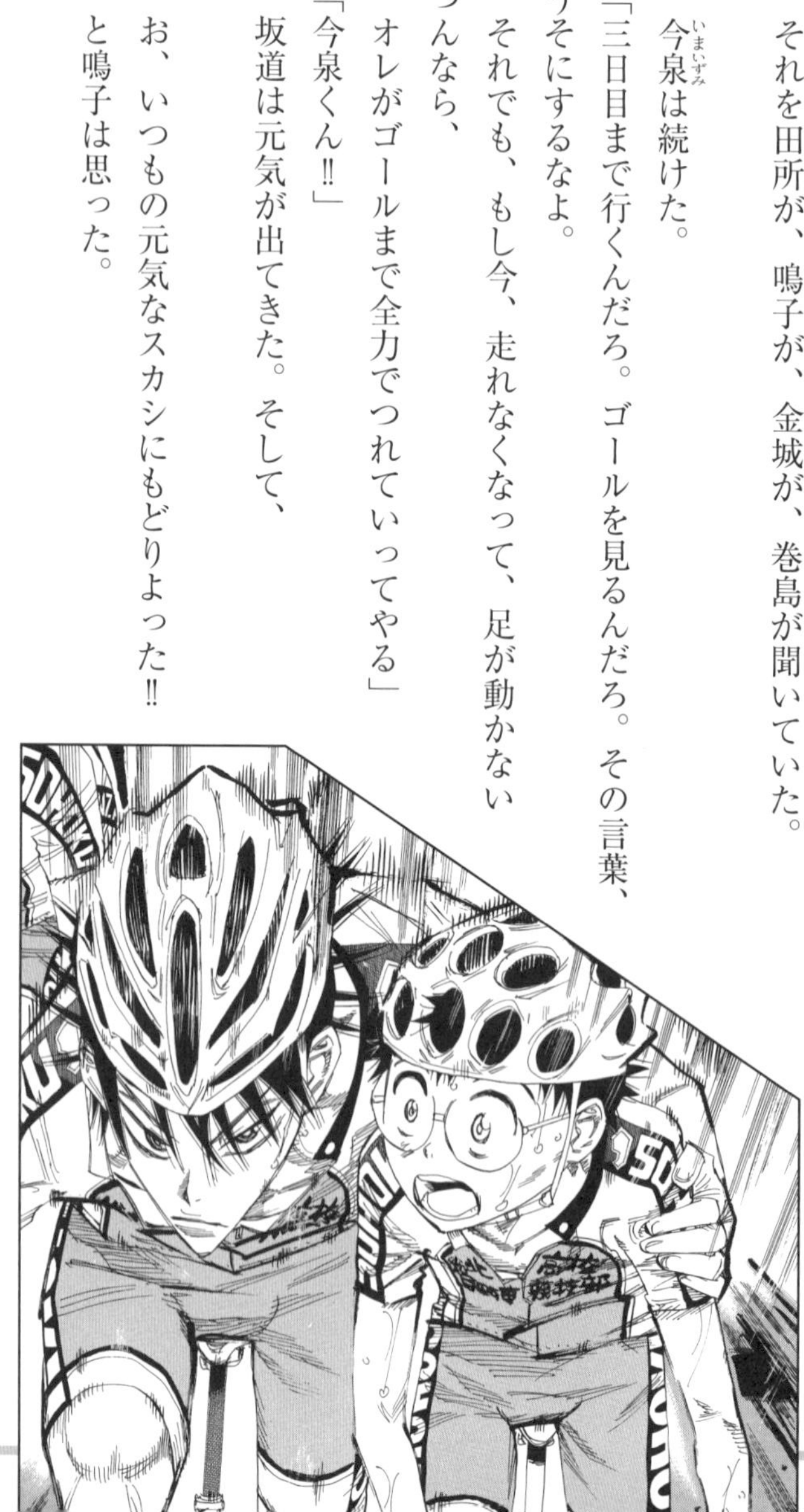

# フェイズ49

二日目のゴールが近くなってきた。いよいよ残り六キロ弱だ。京都伏見、箱根学園、総北の三つ巴の争いとなった。

いったんはバラバラにチギれた箱根学園は底力を見せ、田所が脱落しそうになった総北は、坂道のあきらめない心がチームにしみわたり、京都伏見に追いついたのだった。

大レース「インターハイ」という名にふさわしい名レースの予感がただよい始めた。

「な！　ハコガクだけじゃなく、千葉・総北まで追いついたァアア‼」

御堂筋はあっけに取られ、これまでの努力が水のあわになったかのような顔をした。

ここで箱根学園は山神・東堂が隊列の先頭へ。速度が一気にあがり、総北がはなされそうになった。

ゴールまで五キロ。

チームを引く巻島の足はもう限界だった。

とそのとき、「代われ、巻島」と野太い声がした。

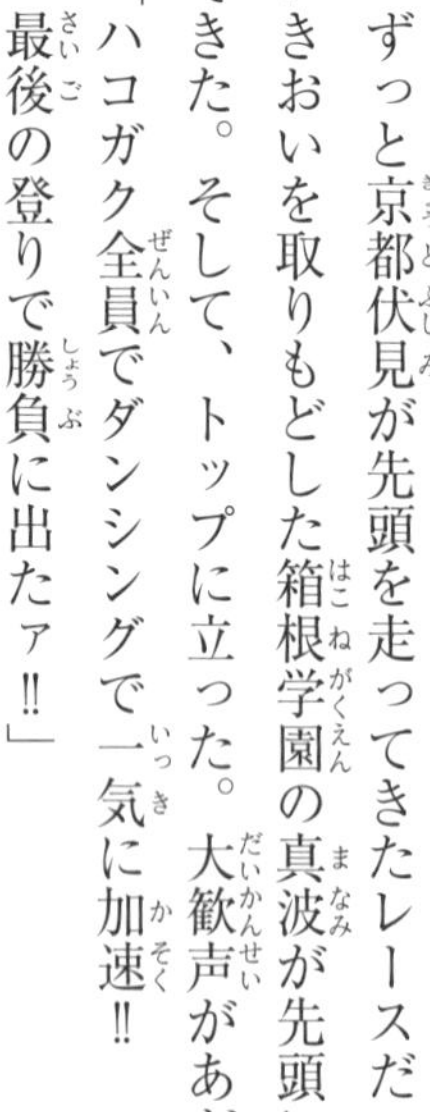

ずっと京都伏見が先頭を走ってきたレースだったが、いきおいを取りもどした箱根学園の真波が先頭にあがってきた。そして、トップに立った。大歓声があがった。

「ハコガク全員でダンシングで一気に加速‼
最後の登りで勝負に出たァ‼」

観客のこうふんはマックスだ。

「オレにも引かせろよ、オラ！　オレはチームのためにここまで来たんだ‼
総北名物〝肉弾列車〟だ――――‼」
田所だった。平坦道用の必殺技をくり出した。
「チーム全員で引く、
そいつが総北の走りだっ‼　オラっ‼」
「うおお、グリーンゼッケンの強烈な引きで
総北があがってくる‼」
観客がさけぶ。

残り四キロ半‼

総北が箱根学園にふたたびならんできた。福富は総北の驚異のねばりにおどろいていた。
まだついてくる‼　ボロボロになりながらも……。

いいチームだ。
まるで、去年の走りそのものだ、金城！
この一年、たくさんのレースをしてきたが、オレをおびやかし、
そして歓喜させるチームは、おまえたちだけだったよ‼　金城‼

残りゴールまで四キロォォ‼

最後の峠をこえた。


そのとき、沿道の観客が大歓声をあげた。

「エースとアシストが出るぞォォォォ‼」

「オオオオオオ」

ついに、クライマックスのエース対決に向けて、
三チームのエースとアシストの二台ずつが出るのだ。

「いけるか、今泉」と総北の金城が今泉にならびかけると肩をたたいた。

「ホントに……オレに……もう一度チャンスをくれて、ありがとうございます!!」

御堂筋にやられて失態続きだった今泉だが、目に勝負にかける炎がともっていた。

「よし、いくぞ、最後の勝負だ!!」

「はい!!」

福富は、
「来い、金城!!」
とさけんだ。

あれは去年のインターハイ、同じ二日目のことだ。福富と金城は一騎打ちとなった。福富はぬかれた瞬間に金城の服をつかみ、こけさせた。そして勝ったという、苦い思い出がある。だから二人の、今年の勝負にかける思いは人一倍強いのだ。

二人は、絶好の状況で思いきり闘えるはずだったが、今年はもう一チーム、いた。

トップをうばわれた京都伏見だ。

「フェイズ49、発動や！」

と御堂筋が作戦を告げた。

あ⁉

さけんだのは、箱根学園のエースアシスト役※・荒北だった。

いつの間にか、荒北のまん前には京都伏見の水田がいる。

スピードを落として走り、ぬかそうとすると右に左にじゃまをするのだ。

「フェイズ49はアシストふうじゃ！」

と御堂筋は勝負師の顔つきで言った。

※エースアシスト…エースの前を走り、風よけになる選手

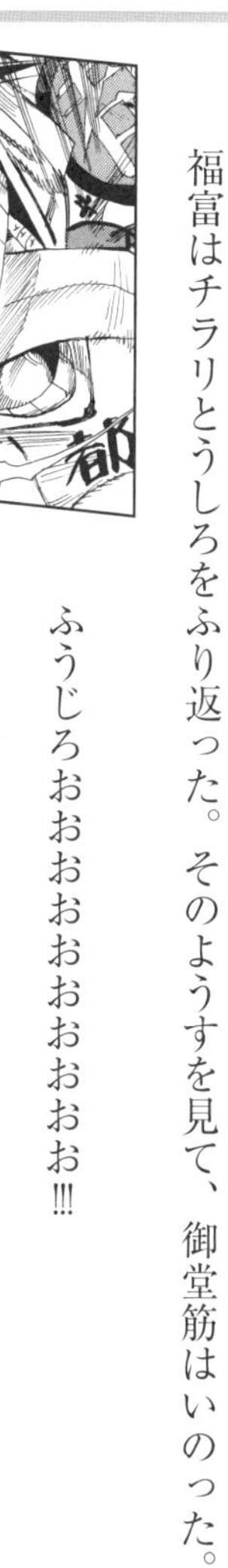

「どうした、ハコガクはアシストがいないぞ！」
と沿道の観客がさけんだ。
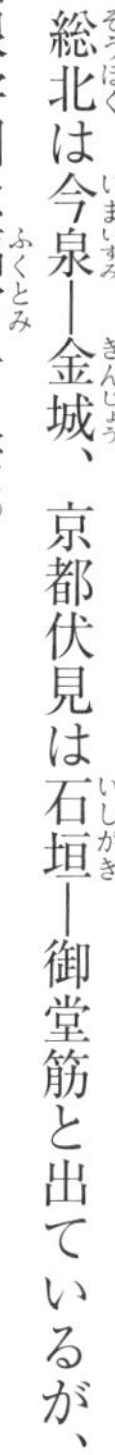
総北は今泉―金城、京都伏見は石垣―御堂筋と出ているが、箱根学園は福富一人だ。
福富はチラリとうしろをふり返った。そのようすを見て、御堂筋はいのった。

ふうじろおおおおおおおおお!!!


「アシストを失ったエースはゴールにからめん。絶対に行かせへんですよ、荒北さん!!」

と水田はここ一番の仕事のしどころだとばかりに言った。

「てっめっ」

荒北は右に左に自転車をふるが、ピタ、ピタ、と荒北の前輪の前で水田がじゃまをする。

「このジャマ、うっとうしいんだよ、バカ。どけ。ハエかてめェ!!」

「ハエ？　それはこっちのセリフすよ、ハコガクゥさん!!　やっぱり新王者はオレたちや!!」

水田は少し御堂筋(みどうすじ)の口まねをして、荒北(あらきた)に言った。

「御堂筋くん、見ててくれたすか、オレの仕事!!」と心の中でよびかけた。

エースアシスト役だと思われた水田は、〝アシストふうじ〟の役回りだった。このフェイズ49というよごれ役を引き受ければ、「来年はエースに……」と御堂筋にまるめこまれた。

御堂筋にはチームメイトは「すてごま」※だ。つまり、ここで水田を切りすてたのだ。

「ロードレースはだましあいや。たとえ、チームメイトでもツカえるものはなんでもツカう!!　キミらは二日目で全員散(ぜんいんち)りや。三日目はボク一人で十分や!!」

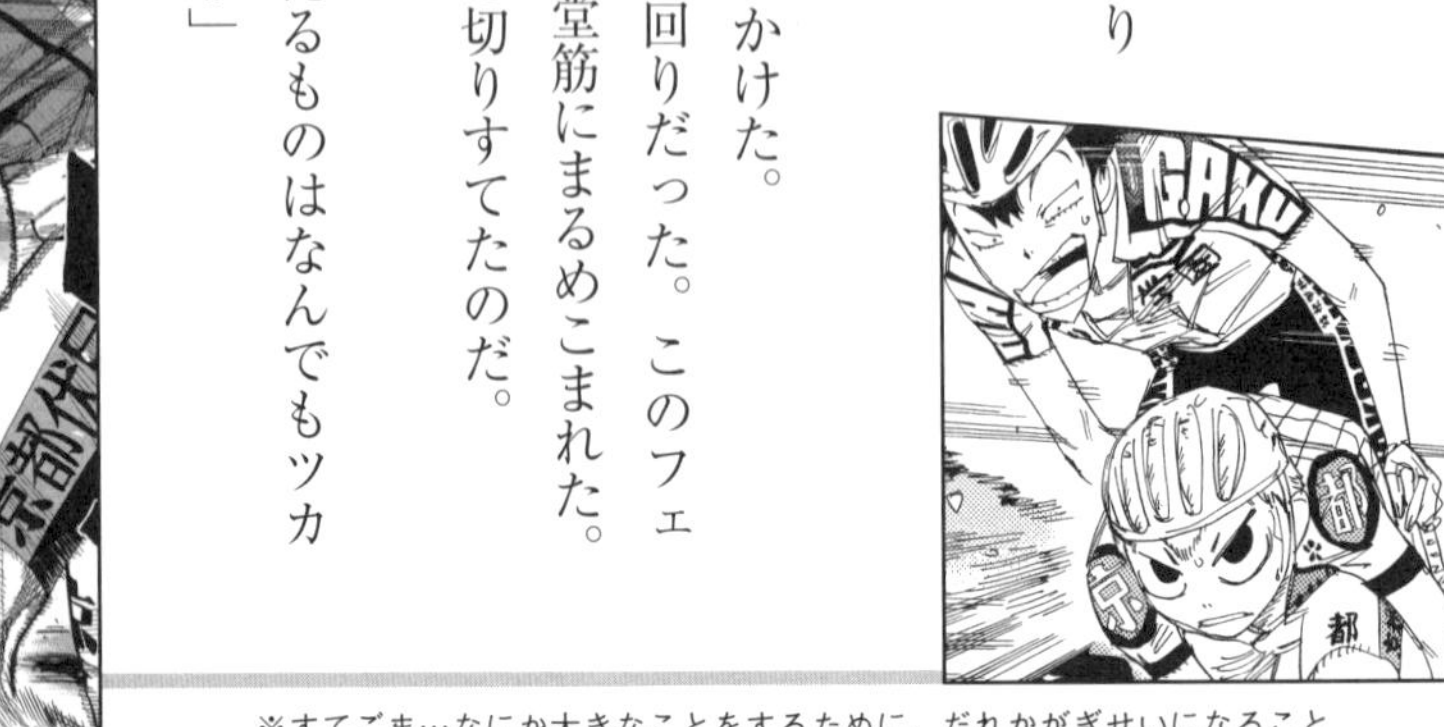


※すてごま…なにか大きなことをするために、だれかがぎせいになること

御堂筋はドンとペダルをふんだ。福富(ふくとみ)を追いぬきながら、

「ププ、おたくのアシスト、ちょっとクタクタちゃうの？

うちの水田ごときにおさえられて」

とからかった。

「そうだな」

と福富はみとめた。そのあと、こう言った。

「荒北(あらきた)には、この二日目、アシストのアシストをたのんであるからな」

その後方(こうほう)では、荒北が息をあらくしながら水田につげていた。

「今日のエースアシストはオレじゃねーよ」

「なに？」

水田は目をまるくした。荒北は、うしろをふり返って言った。

「ったく‼　ホラ、登り終わったぞ。出ろ‼　福(ふく)ちゃんが待ってるぞ」

うしろからは、もぐっ、と補給食(ほきゅうしょく)をかじる音がした。

「オレが引いて、ここまで温存させてやったんだからまけるなよ」

「ああ、ありがとよ」

声の主は新開だ。その声と同時に新開が満を持して、下り坂をぶっとばしはじめた。

つられて、観客は大歓声をあげた。

「ハコガク二日目のアシストは、荒北じゃない。ゼッケン4番のエーススプリンター、新開だ‼」

「エーススプリンターが引くというのか！」

登りが苦手な新開だが、下り坂はお手のもの。新開は軽快に飛ばして、あっという間に福富に追いついた。これで箱根学園も二台アタック態勢が完成した。

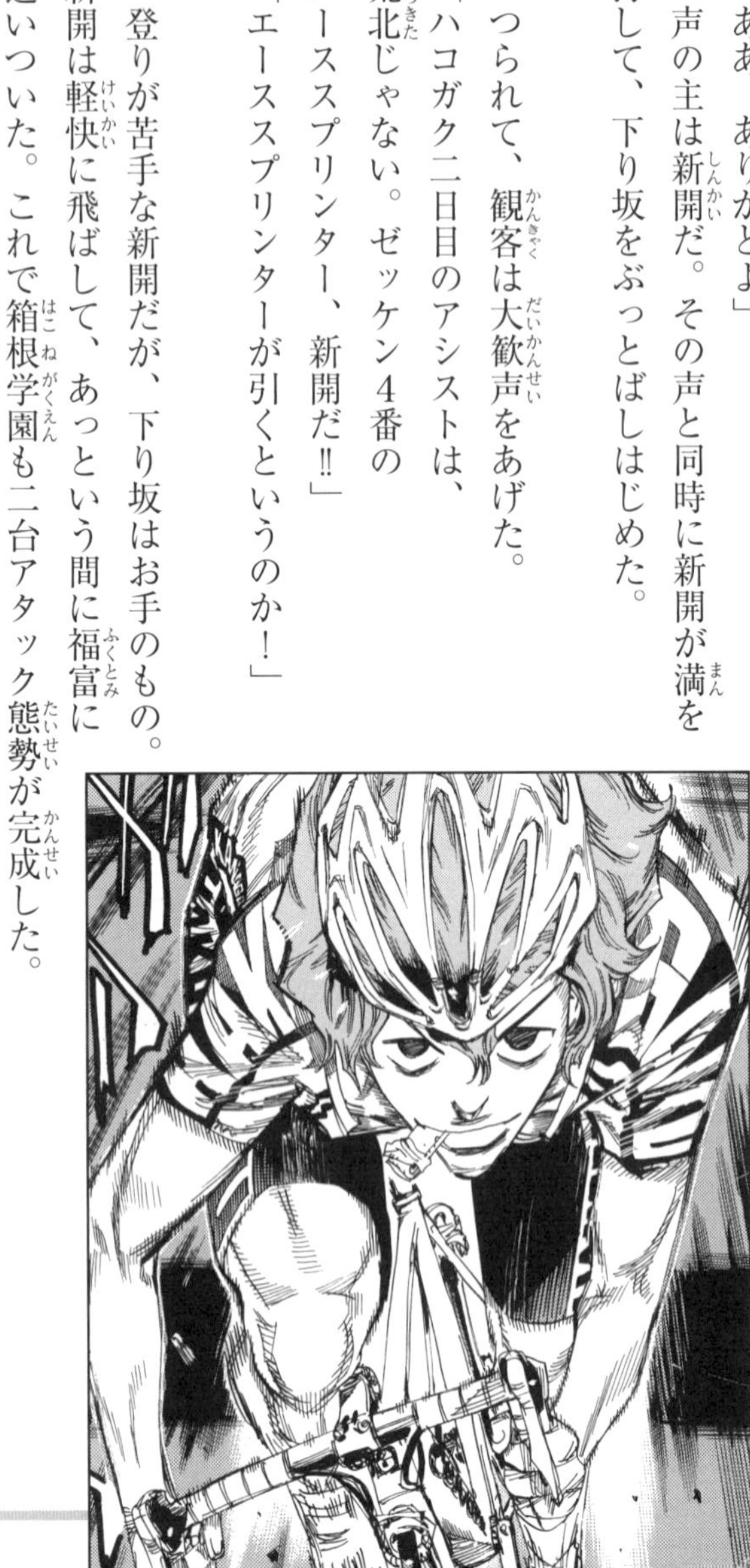

そばに来た新開に、福富はうれしそうに言った。
「いけるか新開、総北と京伏にはかなりはなされているぞ」
「問題ないな、寿一。二十秒で追いつくよ。そおおおら!!!」

あうんの呼吸の名コンビが、一気に追いあげる。そして追いついた。

「また会ったな、御堂筋くん‼」

ヒィーーーーーーーーー‼

御堂筋の顔は血の気が引いて、まっ白になった。

**ゾンビ**

新開⁉　新開やて⁉　おまえはスプリント勝負でつぶしたやろォォ‼

こうなることを予想して、一番やっかいなんをつぶしといたんや‼

それが次から次へと生き返りやがって‼

「まじめに引けぇええええ、石垣くぅうぅん‼　下りやん、もっと速度出るやろぉぉ」

と、御堂筋は石垣の背中にむかってさけんだ。

こいつら、ホントはここにおるわけないんや。わいて出てきて、なに、先頭を走っとんのや‼　ベンジョバエェ‼

「そんなに急くなよ、御堂筋くん。たのしもうじゃないか、ゴール前の緊張感を」

と新開はぶきみにわらっている。

ゾンビかおまえはァァ‼

「悪いが、今度は勝たせてもらうよ」

と新開は御堂筋を挑発した。そして、

「悪いけど、総北、キミたちにもまけないよ‼」

と金城にもつげた。

こうして、

総北（千葉）　今泉―金城
京都伏見（京都）　石垣―御堂筋
箱根学園（神奈川）　新開―福富

この三チーム、六人による最終決戦が幕を開けた。

いよいよレースは、最後の見せ場をむかえた。

御堂筋は有利に進めるための策をめぐらせていた。

こいつら全員、ゾンビ……や……

でも、この中に一人だけ、弱いのがまざってる。な、弱泉くん。

と言うと、突然、自分の自転車を今泉の自転車にガシャンとぶつけた。

観客から悲鳴があがった。

「あぶないっ！　バランスをくずして、一人たおれる‼」

「下りでスピードが出てる、あぶないぞ！」

「ガードレールにぶつかる！」

今泉の脳内で言葉がゆっくりと動いていた。

！

たおれる――

ハンドルをぶつけられた……あいつか御堂筋……

オレは……同じヤツに……何回、やられるんだよ。

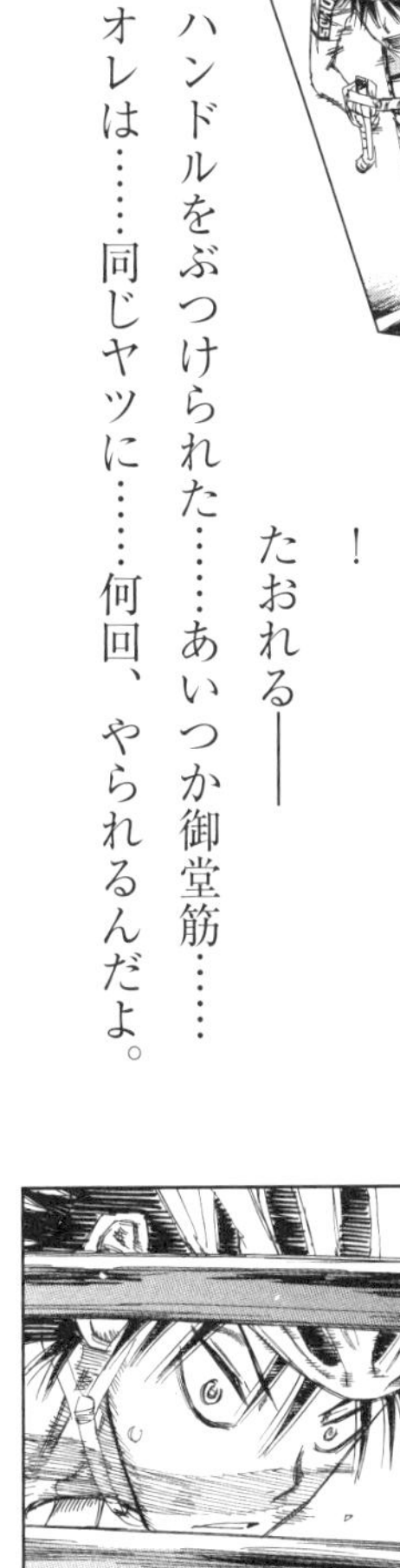

金城さんが、オレの心をひろってくれたのに――。

今泉は、今日のレース序盤、御堂筋ひきいる京都伏見にチギられたあと、自転車をとめたことがあったのだ。そのことを思い出した。

やけくそになって、ヘルメットを地面にたたきつけて、

「すいません、金城さん、先に行ってください」

と白旗をあげたのだ。

アシストにもう自転車を引かないと言われた金城は、自分の自転車をとめて、今泉のヘルメットをひろった。そして、

「だったらもう戦わなくていい。だがチームとともに走ってくれないか。引かなくていい。うしろについてくるだけでいい」

と言った。走る気をなくして、すっかりリタイアする気持ちになっていた今泉は、

「それじゃ走れないのと同じです」と言った。

金城は、

「このジャージは……」と親指で自分の胸をさした。総北高校自転車競技部と書いてある文字のあたりだ。

「……六枚がそろって完成形だ。そろっているということが一つの力なんだ」

「……」今泉は顔をあげた。

「それに、小野田にはスタート前に、〝チーム全員をつれて合流するように〟と言ってある。小野田が合流したときに一枚欠けていると、あいつもがっかりする。行くぞ、今泉。今はゆっくり休め。六人で完成形ということは、カベをのりこえる作業は、一人でやらなくていいということだ」

それを聞くと、今泉はヘルメットをつけて、自転車にまたがり、また走り出した。

だから――

こんなところでくたばってるワケにゃいかねーんだよ。
スローモーションみたいにガードレールにすっ飛んでいくのを感じながら、しかし、今の今泉はれいせいだった。

「エースとアシストってやつはさ、
うるぁあああああ！
みんなの力をもらって、走ってんだよ!!!」

そういうやいなや、ペダルをふみこんで、右肩からガードレールにドンとぶつかった。
バウンドした衝撃で自転車ははね返った。
その反動を使って、コースにもどったのだ。
観客は大絶叫だ。

「うぉおおおおおおお」

「あいつ今、わざとぶつかった？」

「体勢を立て直すために？」

「すげぇ」

今泉はコースにもどれた。

もう、御堂筋がどうとか、どうでもいいんだよ。チームがいなきゃ、ここまで来れてねーんだ、オレ。ゴール前で最ッ高の仕事をするんだよ、オレ、オレは！

今泉はこのレースが始まる前より確実にたくましくなっていた。コースにもどるや、すぐさま、

「金城さん、オレのうしろに入ってください。ゴール前まで引っぱります!!」
とさけんだ。

あらら、とそれを見た御堂筋はおどろいた。
前のあいつなら、あの〝当たり〟にまけていたはずや……今泉。
プライドのかたまりだったヒヨコチャンが、闘えるゆうんかい。
一人弱いヤツがおると思うたら、〝そうやない〟って言うとるんかい。
オレはザクや……ないと……そういうことならば……。
御堂筋の表情がスーッと落ち着いた。そして、
アシストの石垣をよんだ。

「石垣くぅん、フェイズ、すべて破棄や。
ここからは状況を読み取り、そのつど判断して対応していく。

残り三キロ。やはり、王者とそれに類(るい)するものの前では、つまらん計画(プラン)は役に立たんらしい。ベタな小細工(こざいく)は、もうなしや……。全力(ちから)と、全力(ちから)の闘いや！」

## 下りのバトル

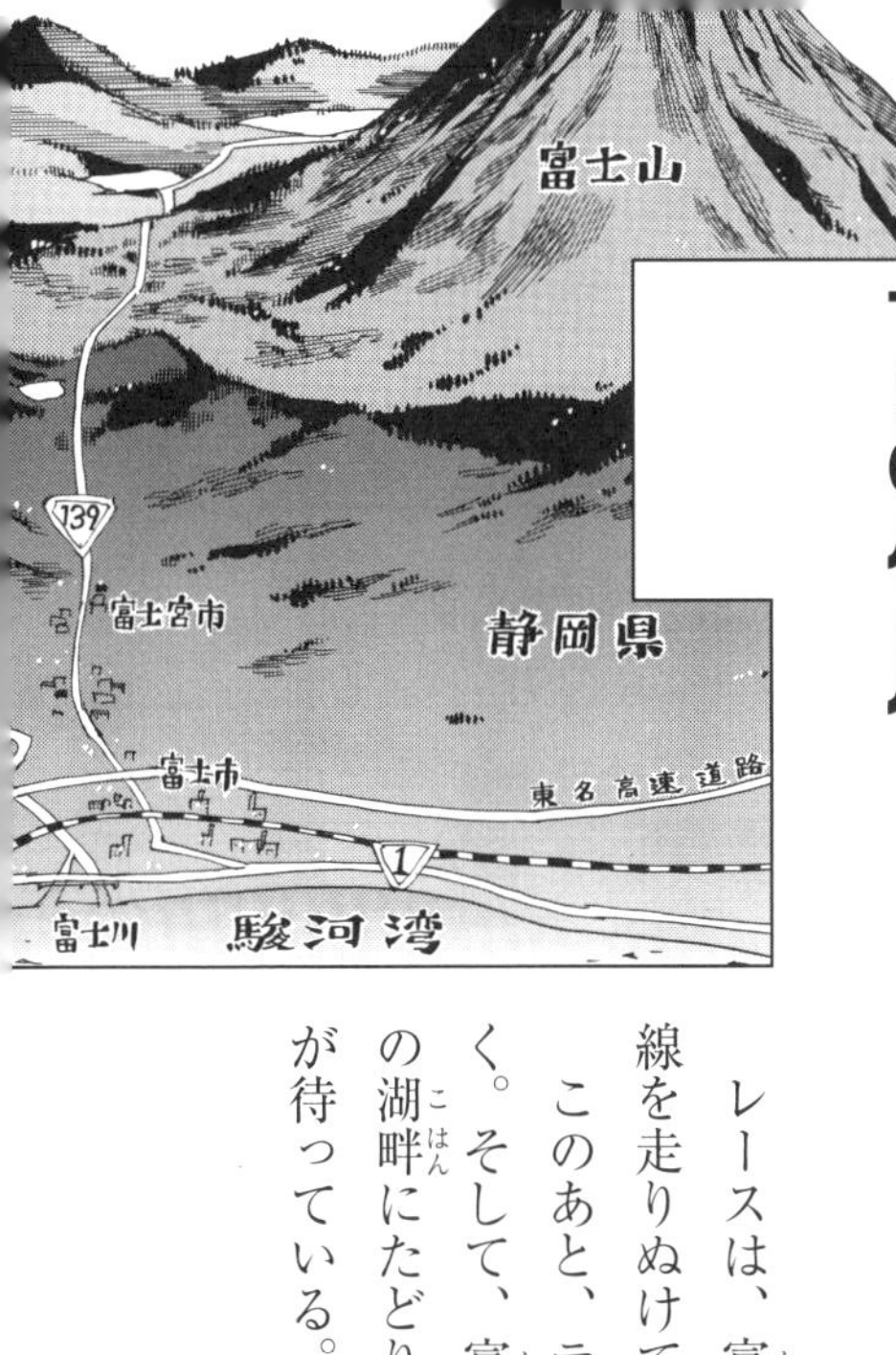


レースは、富士山(ふじさん)の西側(にしがわ)を南北につらぬく国道139号線を走りぬけていく。静岡県(しずおかけん)から山梨県(やまなしけん)に入った。

このあと、テクニカルなカーブが続く坂をおりていく。そして、富士五湖(ふじごこ)のもっとも西に位置(いち)する本栖湖(もとすこ)の湖畔(こはん)にたどりつけば、そこに、本日二日目のゴールが待っている。

トップを争う六台は、下りに入ってますますスピードがあがった。登り坂の倍以上のスピードが出ている。沿道でながめていると光の塊がスンと一瞬で通過するかのようだ。

現在の先頭は、カーブでイン※を取った新開。まうしろには金城。そこに体をかぶせるように今泉。二チームのすきまをねらう位置に京都伏見。

全車、下り坂で全力ペダルだ。

その中で新開は速い。速さへの恐怖心などこれっぽっちもないかのように、ぐんぐんペダルを回す。そこへ、

「退かねェぜ!!　絶対に!!　おぉおおおおお」

と、今泉がついていく。ギアをさらに一段重くして、ふみこんでいった。気合いが入っている。

このジャージを、金城さんをゴールにとどけるんだ!!

なにがあっても、このポジションだけは、絶対にゆずれねーんだよ!!

と新開とはり合っている今泉は、さらに体を前にかたむけ、カーブの切り返しで新開のインを取った。コースギリギリを走っているため、道路に飛び出ている枝葉がバサバサと今泉に当たる。かまわず、ヘルメットと肩でぶつかりながら、今泉は進んでいった。

※インを取る…コースの内側を取ること

「S字カーブで、総北が前に出た‼」

「175番、すごい走りだ！」

「残り三キロ、総北先頭‼!」

今泉の走りは観客の心を動かしている。

今泉は完全に目ざめた。

もらったんだ。力を、意志を‼

先輩に、鳴子に、小野田に、この力を‼

今の今泉には、こわいものもなやみもない。ただ無心にペダルをふむだけだ。

観客が、

「下りでガチ回しだ‼　うっそ、速ええ」

「時速何キロ出てるんだ？」

「総北が引きはなしてるぞ！」

と、今泉に注目している。黄色の二台が五メートルほど箱学の前に出た。はなされた新開は補給食をもぐっとかむと、残りを腰のポケットにしまった。そして
「絶対にゆずらないって走りだな、総北一年今泉クン。けどそれは、うちも同じでね!!」
と言うと、シフトチェンジ。ドンとのびて今泉に接近した。

つめてきた!!
今泉は横目で新開を見た。新開とほぼ真横で目があった。
新開はニヤッとした。
その表情の意味を今泉は読み取った。
なんだと。この先の下りのカーブで※ブレーキング勝負をする気か！

※ブレーキング勝負…ブレーキをふむのをどこまでおくらせるかの勝負

下りはブレーキを先にかけたほうがまけだ。体重ののった下りの加速は落車のリスクがもっとも高いのだ。今泉はドキッとした。

命知らずのハイスピード野郎が……下りを制する‼

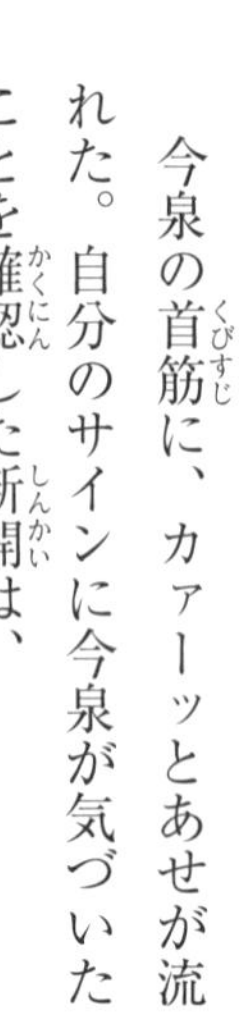

今泉の首筋に、カァーッとあせが流れた。自分のサインに今泉が気づいたことを確認した新開は、

「神にでもいのるかい、今泉クン」

と言った。そして、出しぬくように先にスパートした。

「いのらなくてもいいっす‼」

と答えた今泉もペダルをふんだ。

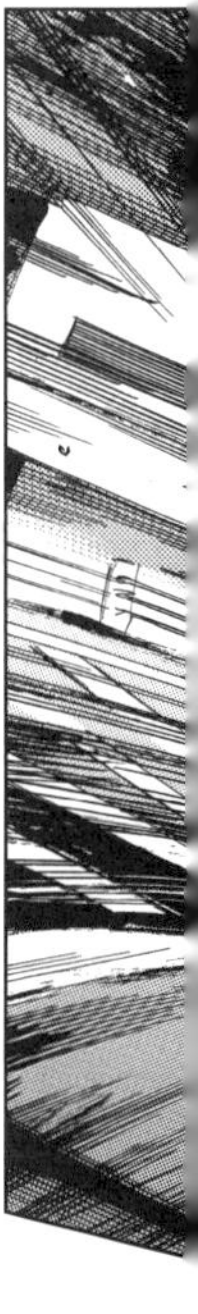

覚悟はできてるよ!!

ざざぁ――――――

と視界がブレるような感覚がした。前からすごい風が当たってくるのに今さら気づく。今泉は自転車を右にかたむける。視界がななめになる。コーナーに頭からつっこんでいく。

「うおおおおおおおおっ」

と今泉は思わずさけんだ。ブレーキレバーを引きたい。指がピクッと反射的に動いた。

「そぉら!」

と新開がさけんだ。

二人ともギリギリまで引かない。体を右にかたむけてコーナーに入る。どれだけ重心を下げても遠心力で自転車が外にふられる。チョン、とレバーを引いた。

今泉の外から、新開がかぶせて前に出た。

「く。ほぼ同時だった‼　けどオレが一瞬、新開よりブレーキが早かったのか‼」と今泉。

「ギリギリまでよくたえたァ!!　今泉クン!!」と新開。

トップが入れかわった。箱根学園が前、総北がうしろ。

京都伏見は……総北のまうしろにつけている。

「ピッタリはりついてる、三年石垣のど根性引きだ!!」

と観客がさけんだ。

## 石垣の激走

ハアッ、ハアッ、ハアッ、ハアッ、ハアッ、ハアッ、
石垣は、前のやり合いを見ながら、必死でペダルをふんでいた。
正直!!　箱根学園ははるかに格上や。

それに食らいついてる175番の総北一年も並やない!!
けど、ここまで来とる。インターハイ二日目、残り二キロと少しのところまで、
オレたちのこのジャージが!!
だからがまんや、がまん!! がまんや、石垣光太郎!!

前では、先頭を行く新開が「そぉおら!!」とさけびながらこいでいる。そのうしろ、福富をはさんで、今泉が「うおおおおお」とさけびながらこいでいる。石垣はれいせいに自分に言い聞かせた。

ハァッ、ハァッ、ハァッ、ハァッ、ハァッ、ハァッ、
三メートルや。三メートル、はなされたらしまいや、一気にチギれる。
前のヤツにはりついて、空気抵抗をへらしてついていく。

※立ち上がり…コーナーから直線コースに出ること

そのために三メートル、がまんして、ゴール前までなんとしても死守するんや。

「すげ。京伏、コーナーのたびに立ち上がり※ではなされても、ど根性で追いつく‼」

ゴール近くはよもやのダークホース※・京伏の激走を見つめようと客も増えている。

ハァッ、ハァッ、ハァッ、ハァッ、ハァッ、ハァッ、

こいつを――、御堂筋を、エースを、ゴールにつれていくために。

それが、発射台としてのオレの最後の役割や‼

足がくだけそうや……

心臓がバクハツしそうや、

けど、もう少しなんや‼



※ダークホース…有名ではない人が突然、存在感をしめすこと

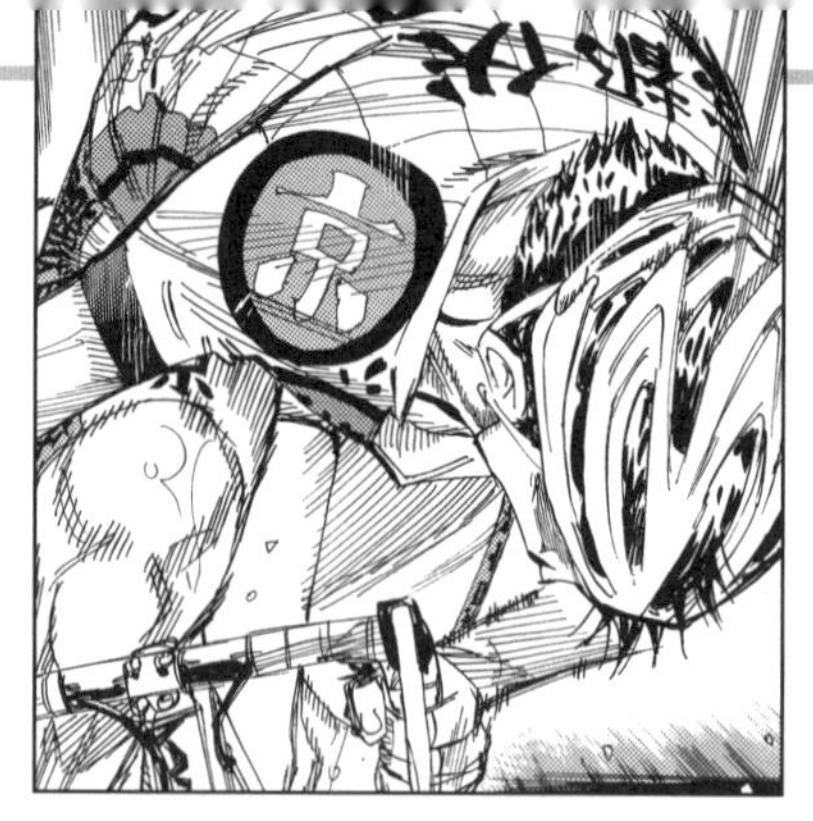

何度も夢見てきた、グリーンゼッケンや赤ゼッケン……
それさえ飛びこえて、優勝のイエローゼッケンがそこまできとるんや!!
井原……辻……山口……水田……おまえたちのおかげやで!!
御堂筋!!
おれは引くよ。おまえが京都伏見のジャージを着とるかぎり
オレが三年間大好きだったこのチームのジャージを、ゴールにとどけてくれ!!

自転車からは、ちらちらと湖が見えてきた。町中が近づいていた。
この先に左直角コーナーあり。道のどんつきを急に左にまがる。
本栖湖の周遊道路にむかう道に入るのだ。
ゴールのにおいがしてきた。あと千五百メートルだ。
見物客でいっぱいの直角コーナーに、箱根学園、総北の順に猛スピードで入っていく。

「おおおおおおおお！」

と客が歓声をあげる。石垣は自転車の上で体重を左にかたむける、そのとき——

尻が流れた——。

ズルッ

すべった——。

ブレーキングをして飛びこんだ九十度左コーナーで、石垣は自転車の後輪をすべらせた。

隊列から外に飛んでいく。


はなれる。三メートルが！

オレたちのジャージが……

バカ
なにやってんだオレは
みんな　すまん

石垣の頭には、チームメイトの顔がうかんだ。

そのとき、ぐいっとジャージがつかまれた。


!!


御堂筋が長い手をのばして、石垣を助けていた。

「御堂筋、くん!!」

と石垣はさけんだ。御堂筋はなにも言わず、
スパンと石垣の頭をたたいた。

「すまん!!　ありがとう!!」

「あたりまえや。こんなところでころんでもろたらこまる。あとキッチリ二百五十メートル、ボクを引いてもらわなアカンのや。石垣くぅんはボクのアシストなんやから‼」

「わかった‼」

ひやあせをぬぐった石垣は、ロスした分を取りもどすように夢中でペダルを回す。

客がこうふんする。

「おおお、見ろ京都、一人が落車しかかったのに、みるみる追いついていくぞ！」

「すげぇ、三年石垣、ど根性‼」

石垣は三年間の最後の力をふりしぼって、アスファルトをかけぬける。

道はちがえど、ゴールへ向かう気持ちは同じや、御堂筋‼

見ろ、総北。見ろ、箱根学園‼

形は少しいびつかもしれんけど、これが――

オレたち、京都伏見というチームや‼

今度は石垣が箱根学園と総北をせり落とし、先頭におどり出た。

「うぉおおおおおおお!!! 京伏キタ!」

「残り千二百メートルで、京伏まさかのトップに出た!!」

まだそんな体力が残っていたのか!! と今泉はあぜんとする。

けど、こっちもエースを背おっているんでね、と新開は目つきをするどくした。

かんたんにはゆずれねーんだよ!!

だれも脱落しない。直線になって、三チームが横にならんだ。石垣、今泉、新開たちアシストはまっこうから風を受けて、こぎ続けた。

いよいよ勝負どころだ。まもなくエースを切りはなす。

ポイントは、またしても直角コーナー。下りながら大きく百八十度をまがりこむ複合コーナーだ。二つ目の角をおり返して、立ち上がりの速度がのってきたところで、やりを投げるようにエースを発射するのだ。

もうまもなくアシストの仕事は終わる。切りはなされる。

直角コーナーでは必然的に一列になるから、先にコーナーをぬけて前にいるチームが圧倒的に有利になる!!

そこをねらって、石垣も、新開も、今泉も、前に出ようとしている。

そのため、三台がせまいところを走っている。トンッと今泉の左ひじと新開の右ひじがぶつかった。その拍子に今泉が前に出た。

先頭でエースを切りはなすのは、オレたち総北だ!!

と今泉は勝ちどきをあげた。そのまま最初の左コーナーにつっこんでいく。そのとき、

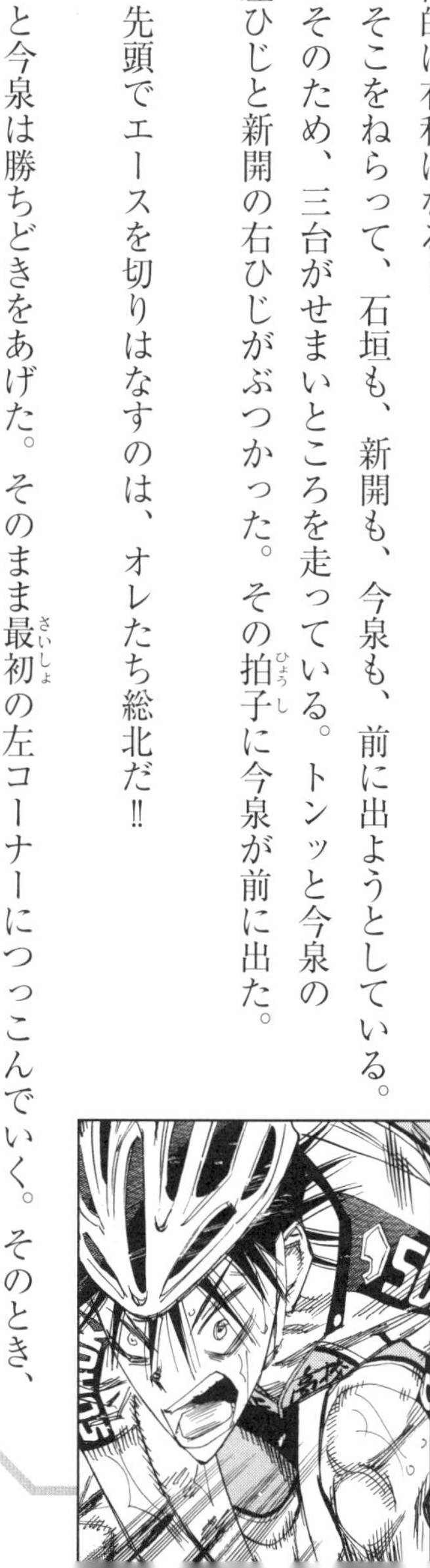

「二百五十メートル、キッチリ引いたぞ、御堂筋(みどうすじ)!!」
と石垣(いしがき)がさけんだ。とたんに、石垣がどんどんおくれていく。
力つきたか。

いや？
え……
まさか

御堂筋がおどり出ている!!

「なんだと、直角コーナー手前で京伏(きょうふし)はエースを切りはなすつもりだったのか!!」
と今泉(いまいずみ)はさけんだ。

とんでもない京都伏見の作戦だ。コーナー出口ではなく、ワンタイミング早く、コーナー手前でエースを発射させる。そして、リードをうばう作戦が決まった。

「京伏出たーーーーーーーーーーー!!」

と、観客がさわぐ。

「単独で出た！」

大喧騒の中で、今泉は金城にさけんだ。

「京伏はエース、出ました‼　金城さん‼」

「オーダーは変えない」と金城は平然と答えた。

「寿一、どうする‼」

と新開も福富をふり返った。

福富も「このままいく‼」とみじかく答えた。

二人は、偶然声をあわせて、アシストにむかってさけんだ。

「全力でコーナーをぬけろ‼」

## ダイブ

一つ目のコーナー手前で、御堂筋がスパート。

二つ目のコーナーをぬけた瞬間に、福富と金城がスパート。

早めスパートの御堂筋は、最初の直角コーナーにハイスピードでつっこんでいった。この速度では九十度はまがれないと、だれもがそう思ったときに、腰をうかせて、体を左にたおし、路面と平行のまま奇妙なバランスを取って、左にまがっていった。

「うわ、たおれ……ない!?」

美しいサーカス技を目の当たりにした観客はこうふんの嵐だ。

「なんだ、今の。速ぇえ!」

「顔が地面につきそうだ」

ガチン、ガチン、ガチン

と音を立てて、御堂筋の自転車がコーナーをぬけていく。

左側のペダルの先がアスファルトに当たる音だ。それくらい自転車をたおしている。

ダイブ！
コーナーにダイブしていった！

御堂筋が一つ目のコーナーに入っていくうしろ姿が今泉には見えた。
あいつ本気だ。いやな感じだ。
そう思いながら、続いて今泉もコーナーに入っていく。
あいつは、最初から〝コーナーの中〟で秒差をつけるねらいだったんだ‼

すぐそばに新開もいる。今泉は左にまがっていく。
コーナー一つ目。続いてコーナー二つ目。

ああ、くそ、おそく感じる。
早くあけろ‼　コーナー‼
御堂筋はどこまで行った？

二つ目をまがった直線では御堂筋のうしろ姿が見えるはずだったが、見えなかった。

いない！

やられた！

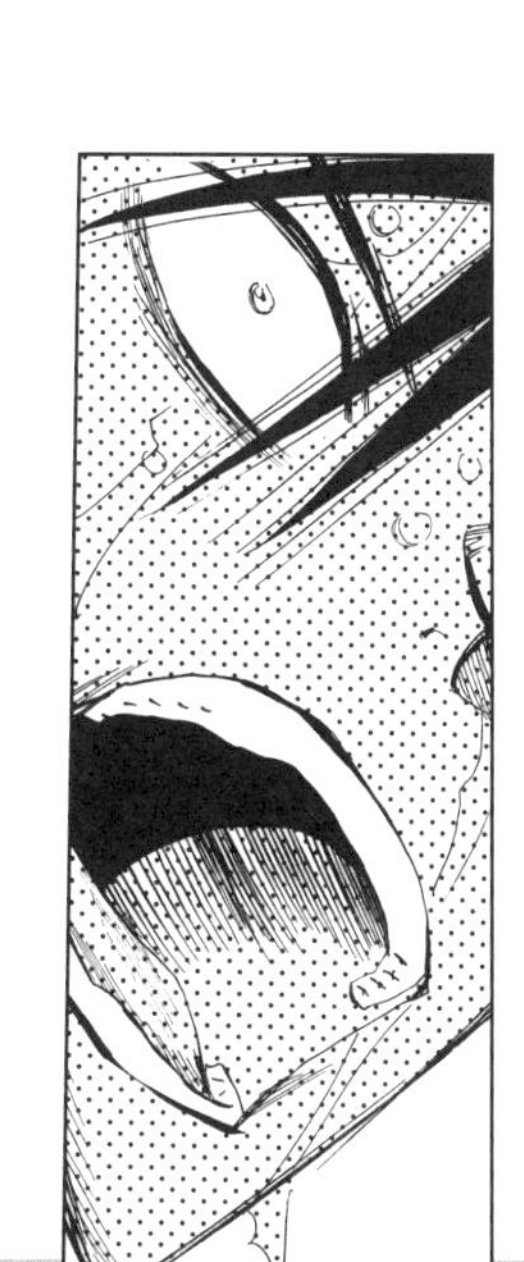

「すげぇ速(はえ)えええ！　あいつ、京伏(きょうふし)‼」

「差(さ)がついたぞ。総北(そうほく)とハコガク、一、二、三……いや四秒差だ‼」

「うそ、四秒(びょう)って、距離(きょり)にするとこんなにひらくの？」

「これじゃあ、うしろのグループはもう追いつけないじゃない‼」

と、観客(かんきゃく)がさわいでいる。

本栖湖畔(もとすこはん)を単独疾走(たんどくしっそう)する御堂筋の早めスパート作戦(さくせん)が決まった。

「すいません、金城さん！」

と、今泉はほえた。

「背おうな、今泉」

と、金城は今泉の肩をたたいた。

「おまえは十分な仕事をした。ゴールにむかって最速でオレを引いてくれた。ほこれ」

……金城さん。

「くやしさ、後悔、失敗や成功、希望、意志……すべてだ。仲間がおまえにそうしてきたように、おまえもすればいい」

そう言うと金城は親指をつきあげて、自分を指した。

「たくせ、心を!!」

そして、黄色いジャージの胸のところをつかんで言った。

「たくされた全員の願いと心を背おって、最後にゴールにそれをたたきこむのは、オレの、エースの役目だ!!」

言い終わると、エース金城は出た。

171番のゼッケンを見ながら、今泉は思った。

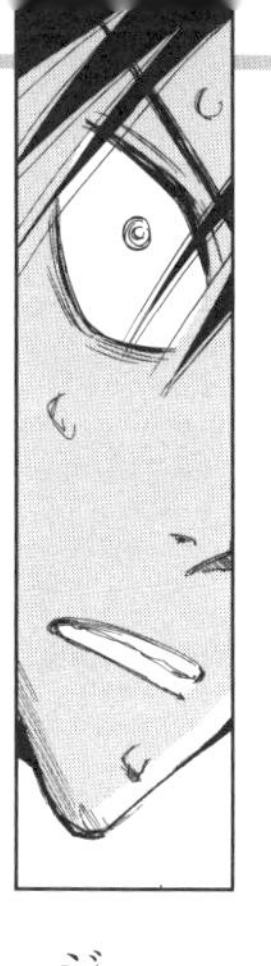

行く気だ、この人は……追いつく気だ!!　まっ先にこのジャージをゴールにとどけるつもりだ!!

「金城さん、おねがいします!!　オレの心、全力であずけます!!」

今泉は最後に金城に近づいて、その腰を思いっきりおした。金城ははじかれたようにスパートした。

「追いつけえ、寿一!!」
新開も同時に、福富の尻をおしていた。
総北も、箱根学園も、御堂筋を追って、エースが発射された。

「四秒差、ひっくり返すぞ」と福富がつぶやくと、

「ああ!!」と金城が答えた。


レースはゴールまで残り八百メートル。

トップとの差は、四秒。

観客は御堂筋の走りにやんやの喝采だ。

「先頭京伏!! 91番!! 御堂筋!! 速えッ」


しかし、すぐうしろから追いあげる二人に目を見はった。

「いや、うしろ。総北と箱根学園のエースだ!!」

金城はここまでがんばってくれたチームに感謝
しながら、ペダルをふんだ。
「この瞬間のためにすべてをつんできたんだ‼
そのすべての力を解放しゴールにたたきこむ‼」
金城が福富をはなして加速していく———。

「箱根学園エース福富は〝最強の男〟、総北エース
金城は〝あきらめない男〟ってよばれてんだ」

「そいつらがノーデータ男91番を追ってんのか」

「追いつくか？」

「いや、常識ならムリだ。だけどエースだ。

その差は四秒。

追いつく‼　それがエースだ‼」

と、観客のこうふんもマックスだ。

## 因縁の決着

ハァ、ハァ、ハァ、ハァ、ハァ、ハァ、ハァ、

息を切らして走っているのは黄色いジャージの四人。

今泉と金城を送り出したあと、坂を下ってくるところだ。

「そろそろだな……そろそろ今ごろ、最後の勝負をやってるころだ」

と田所が言った。

「今泉……くん……金城さん……ゴール前……ですか‼」

と坂道が言った。木々のすきまから、本栖湖の湖面が光るのが一瞬見えた。

そのすきまから念を送るように、

「金城‼」と田所が名をよんだ。

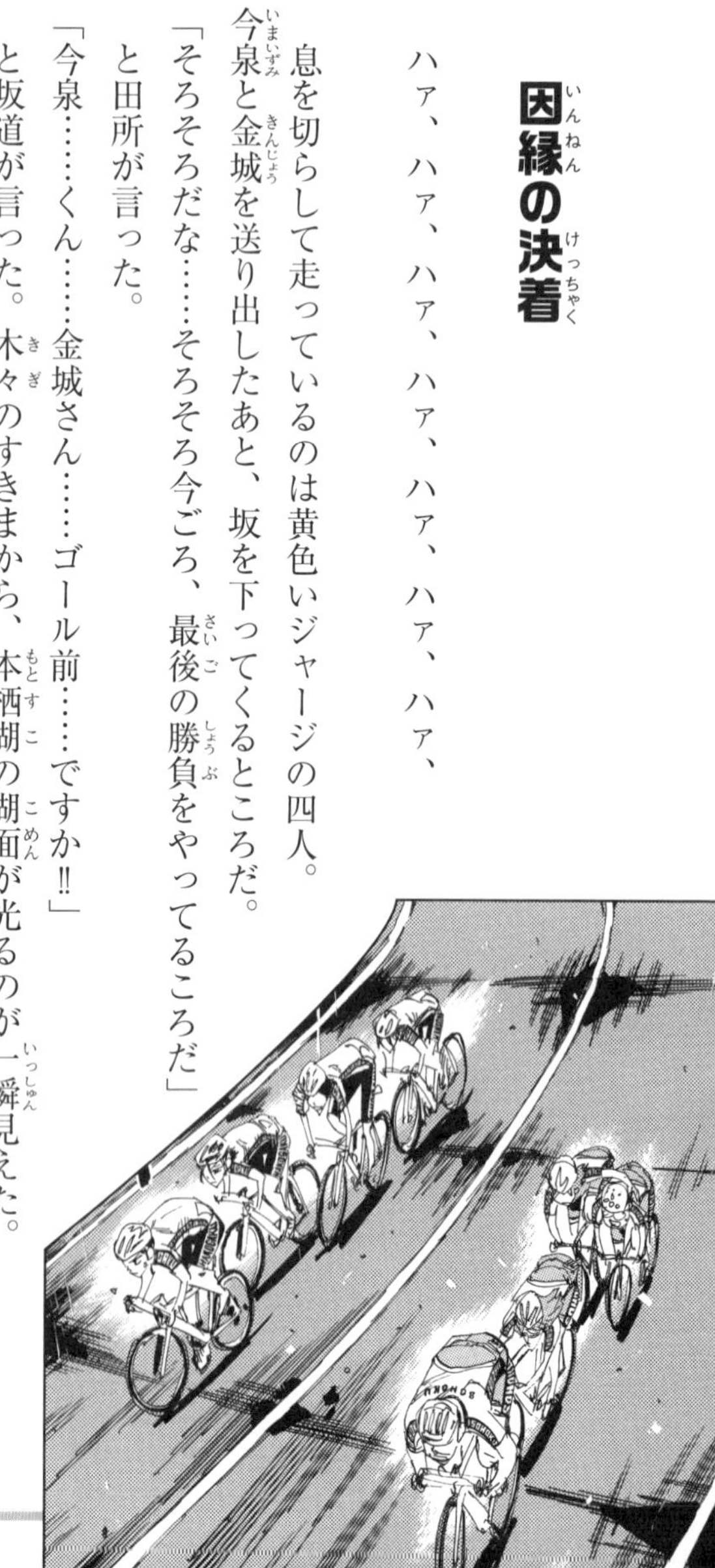

「金城ぉ……」と巻島が、

「たのんまっせ」と鳴子が。

「絶対にトップゴール、とれよ!!」
と田所が言った。

ゴールまで残り七百メートル。

御堂筋を追う金城の横に、あとから
福富が追いついてきた。

「来たか、福富!!」

「当然だ、オレは強い!!」

「そいつは本当にやっかいだ!!」

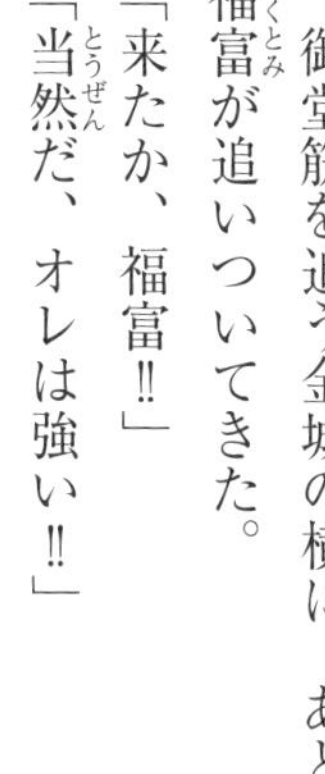

二人の前方には、御堂筋の背中がちらちら見える。金城と福富は二番手争い。金城がサングラスをはずして、腰のポケットに入れる。手のひらで顔のあせをぬぐうと、気合いを入れるようにハンドルを持ち直した。

やっかいだ。

残り七百メートルで前の京伏との差は絶望的な四秒!!

こいつをひっくり返すには、一つのミスもゆるされない。

こんなギリギリの状況で、福富、おまえは闘おうというのか、オレと!!

いや……こういうときだからこそかもしれんな!!

「福富!!」

「金城ォォ!!　一年ぶりだ。おまえと二人でゴールを争っていた、ちょうど一年前のインター

ハイの、この第二ステージだ‼　オレは高鳴っている。ふるえている。この状況に‼」

めずらしく、レース中に福富がしゃべり始めた。

「……そして、この状況までふたたびのぼってきた金城真護、おまえという男に‼」

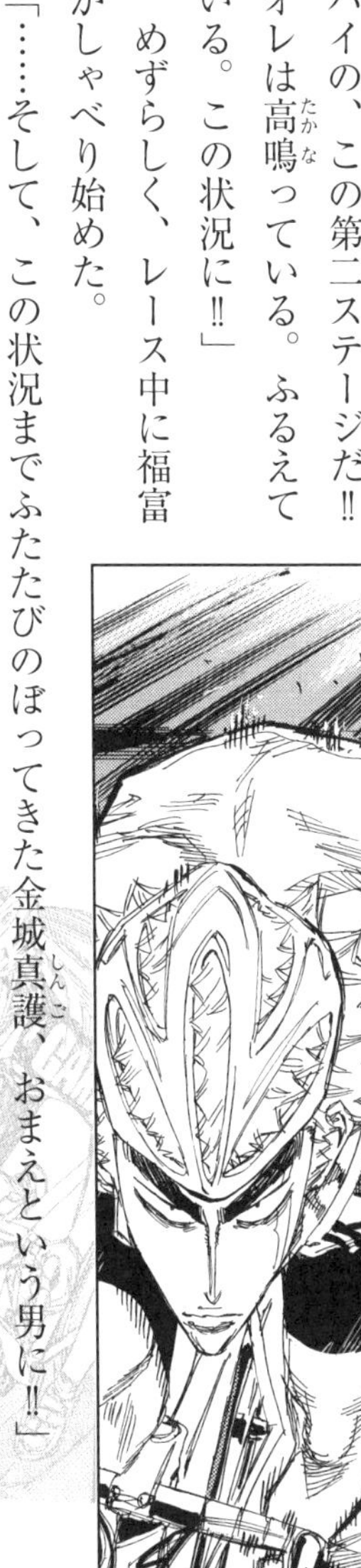

一年前に、二人に生まれた因縁――。

金城は、ふっと思い出す。

「京伏をぬく‼　そしておまえに勝つ‼　強者はオレだ」

「いや、勝つのは総北だ‼」

接近しすぎた二人の肩がバチンと当たった。

福富、おまえはいつも強引だ。

そうだ、あの日だってそうだった――。

去年のインターハイが終わった数日後のことだ。

総北高校自転車競技部の部室で、「ハコガクの金髪野郎のせいで！」と田所がおこりまくっていたあの日。金城の快走をだいなしにした福富にいかりがおさまらないのだ。福富のせいで金城は転倒し、ろっ骨をおった。優勝戦線からは脱落。箱根学園が優勝した。

田所がわめいているところに、巻島に電話がかかってきた。

箱根学園の東堂からだった。

「そっちに行ったんだよ、福富が。部活欠席届を出して。行き先が千葉って書いてあった」

「は？」

「あの日以来の対面だ。なにかが起こる。阻止しろ、巻ちゃん！　一触即発だ!!」

そこへ、「しゃす」と金城が部室に現れた。

「わーーーーーーーーーーー」

と二人はさけんだ。

そうしたら、
「箱根学園自転車競技部主将、福富寿一だ。
金城、おまえに話があってきた」
と、そのまうしろに、福富が立っていた。とめるもなにもあったものじゃない。

部室に入った福富はえんりょなく、いきなり話し始めた。

「用件はなんだ」

と、金城は福富をじっと見ながら言った。

ズン、と箱根名物温泉まんじゅうの箱がおかれた。そして、

「あやまりに来た。正式に」

と、福富が深々と頭を下げた。

「本当にすまなかった」

田所も、巻島もだまった。金城ももちろん、だまっている。

福富が下をむいたまま、

「総北高校自転車競技部の全員の努力を水のあわにするような卑劣な行為をしてしまった。本当に反省している。そして、もう一つずうずうしいと思ったが、おねがいがあって来た」

福富はまだ頭を下げたままで、

「いや、すまない。ちょっと気が急いた。今回は謝罪だけにする。貴重な時間をさいてもらって悪かったな」

と、思い直したように言った。そして、きびすを返すと、

「失礼する」と部室を出て行った。

「待て」

と金城が声をかけた。

「今日は天気がいい」

そう言うと、水の入ったボトルを福富に投げた。福富は反射的にボトルをつかんだ。

「そいつでも飲みながら、少し外で話そう。おまえのキャノンデール、借りられるか？」

「え。はい⁉」

金城は自分のトレックで、福富は手嶋に借りたキャノンデールで、走りに出た。

川ぞいのサイクリングロードを、二人は無言でこいだ。やがて、

「サイクリングか」

と福富がしびれを切らしたように口を開いた。金城は、

「ああ、たまにはそういうのもいい」

と前をむいたままで答えた。

「金城――」

福富は、さっき飲みこんだ言葉を話そうとした。

「きいてくれ。オレのねがいだ。一つだけ――」

福富はブレーキを引いて、自転車をとめた。金城もそれに気づいてとまった。

二人は、自転車をおりた。〝あのとき以来〟、向かい合った。

「もう一度、オレと勝負してくれるか」

と、福富は金城の目を見ながら言った。金城が福富の目を見返した。

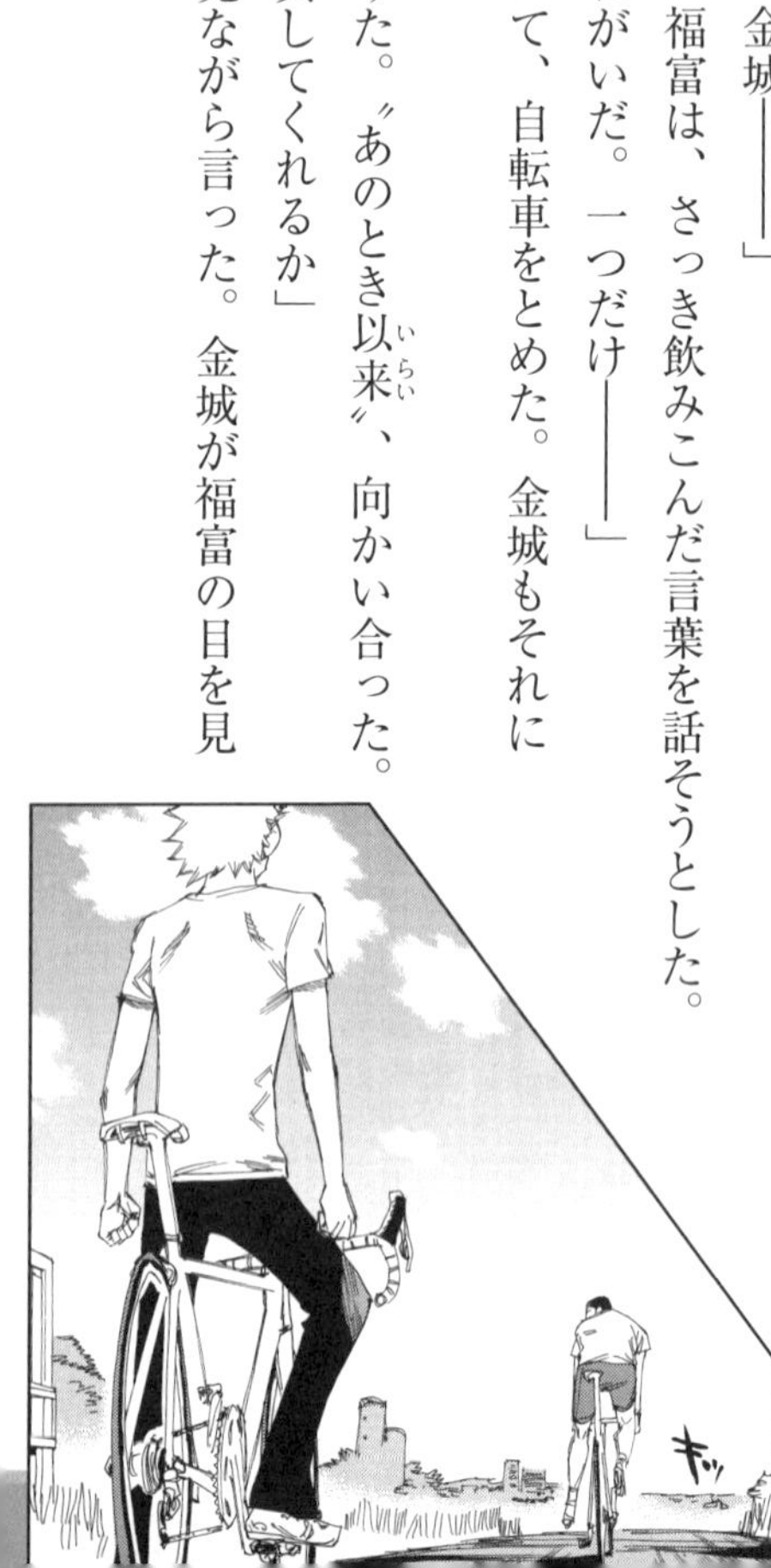

「来年のインターハイで、もしオレとおまえがならんだとき、全力で勝負してくれるか!! オレはおまえとの闘いで自分の弱さを知った。オレはそれを克服したい……。もっと速く、もっと強く、なりたいんだ。そのためには、おまえと正々堂々と勝負して勝つしかない!! むろん、これはオレのわがままだ。もし来年のインハイで同じ状況になって、おまえに勝ちをゆずれと言われてもそれを断る理由はない。それくらいのことをオレはした。オレが言いたかったのはそれだけだ」

ずいぶんと長い沈黙が流れた。川をわたる風が二人のほおをなでた。

やがて、金城が落ち着いた声で話した。

「フッ。勝ちをゆずってください、というメンタルでは、インターハイでは勝てないだろ、福富。最速最強にうえたヤツがうようよいるんだ。それは……オレも同じだ。みな

命がけで走っている。傷はいえるさ。それまでにオレは最強のチームを作り、王者に、インターハイに、いどむよ。

もし来年、同じ状況になったら——か。安心しろ、福富。絶対にまけんよ、オレは‼」

——あの日からちょうど一年。

ゼッケン171番のまうしろで、福富はいろいろなことを思い出していた。

金城真護。

フィジカルもメンタルも一年前と比べものにならないほどにきたえあげている。

やはり、オレはおまえをこえなければならない‼

おれはおまえに感謝する。オレが強者となるために！

そして、「金城おおお！」とさけんで腕（うで）をふりあげた。
ふり返った金城に、その心が通じたのか、金城も腕をふりあげた。
二人は、自転車をならべながら、腕と腕をぶつけあった。そして、
敵（てき）だからこそ、闘（たたか）って出せる力がある！

と、心の中で思いっきりさけんだ。

それをきっかけに福富と金城は、御堂筋（みどうすじ）を追って、パワーをあげたのだった。

観客（かんきゃく）がおどろきの声をあげた。

「箱根学園（はこねがくえん）と総北（そうほく）、すげぇ追いあげをはじめた！」

「みるみる差（さ）がつまる！」

「三秒差、いや、二！」

「一秒差だ！」

御堂筋はうしろの気配を感じた。

来た。

しかも二人や。

ボクが作った四秒差を、二人でひっくり返した言うんかい!!

追いつくことがあるとすれば……どっちか一人やと思っとった。

御堂筋は「ゴールまで五百メートル」の看板を高速で通過。

ププププ

二人！　どうりで走りがぬるい!!

ロードレースは己の足で走るもの。

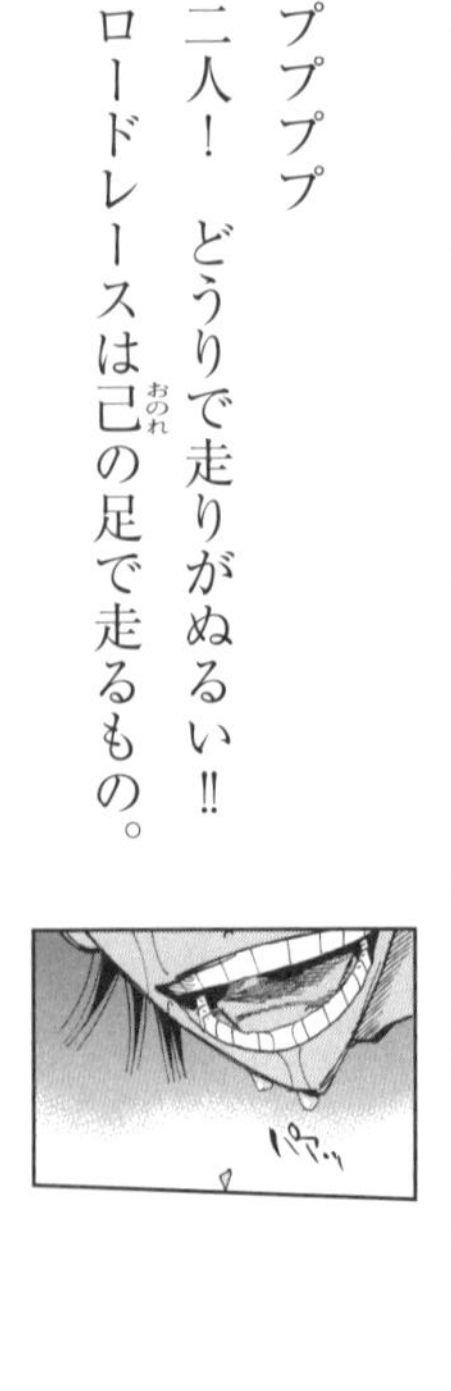

つねに、いかなる状況でも、ペダルに力を伝えるのは、己一人。

二人で来たってことは、一人じゃ、なにもできん、あまちゃんやからや!!

「友情」？　友情いうやつやろ？　そういう力が奇跡を起こすんやろ？

ほんで、最後にはおたがいに〝おまえがいてくれてよかった〟なんて言って、ひたるんやろ、ぬるま湯に!!

けど、これは闘いや。ロードレースや。勝つためには、そんなもん、カケラもいらない!!

ほしいもんのためにはすべてをすてる!!


「この先のカーブをぬければ、三百メートルでゴールだ」

と観客のだれかがさけんだ。

「京伏、追いこまれてる！」

「ふめ、総北！」

「いけえ箱学！」

そのとき、御堂筋は首を前にのばして、左右にふりながらラストスパートに入った。

「あれはヤツの真の走りの姿!!　あやうい!!」

と、金城はあっとうされた。

ギリギリの血肉をそいで皮一枚でつながっているような、けずってけずって、すべてをそぎ落してもゴールと引きかえるような走り!!

勝利への執着……、そして情念!!

「こいつは強い!!」

すぐそこまで近づいた御堂筋がまた遠ざかった。

「やっかいだな、福富!!」

「かまわない!!　ヤツを!!　オレはぬく!!　そして、おまえもだ、金城!!」

「残り三百メートル、全力スプリント勝負だ‼」と金城がさけんだ。

ゴール前では総北のマネージャー、ミキが「来て、まっ先に、総北‼」と、両手をにぎりしめて、いのっていた。

コースの両側にすずなりになった観客に、まずは先頭の御堂筋がつっこんでいく。

ボクは母親が死んだくらいでペダルをゆるめたりはせんよ。
御堂筋の心にふいに思い出がよみがえった。
この走りを、見てほしい人のことが――――。

## アキラ

「あら、来てたん？　アキラ。声かけてくれたらよかったんに」
病室のベッドに横たわる女性。アキラとよばれた小学生の母親だ。
少年が心配そうに首をふった。
「いやや。ねとるのに声かけたら起きてまうやろ。ここに来んのに自転車で二時間もかかっとんで」

「……」

「はよ退院してくれんと、ボク、くたびれてしまうわ。毎日こがんならん」

「ふふ、ごめんな。聞いたよ。わたしが入院しとる間に自転車、はじめたんやて？」

少年は目をかがやかせた。

「ツールドフランスというのがあんのや。自転車、どこまでも行くんや。何日もかけてレースすんのや。三千五百キロも走んねんで」

「そう、すごいなあ」

「めっちゃ速いんや。ボク、選手になったら、よぶわ……母ちゃん、自転車のうしろに乗っけてゴールしたるわ……優勝すんのや」

「それはすごいたのしみやな。アキラならきっとやれるな」

と言うと、母は御堂筋の顔をぎゅーっと両手でつつんだ。

そして、イーッと引っぱって歯を見た。

「アキラは歯ならび、きれいやし。スポーツ選手は歯ならび大事やて。テレビで言うてたで」

家から二十キロはなれていたけれど、アキラにとっての病院はオアシスだった。
学校はさばくだ。

ボクは、とびばこもとべん。女子で四段とぶ子もおるのに。
「踏板のタイミングが悪いんよ」と体育の時間にわらわれた。
さかあがりもできん。

サッカーをやっても、ボールが通りすぎてから、足をふって、みんなにわらわれた。
「勉強でがんばれ、御堂筋」と先生は言った。

なんでやの。
なんでやの。

サッカーできて、野球できて、バスケットも
できて、勉強もできて、おもろいこというて、
あれもこれも
あれもこれも
なんでもできてて
おかしいやろ。

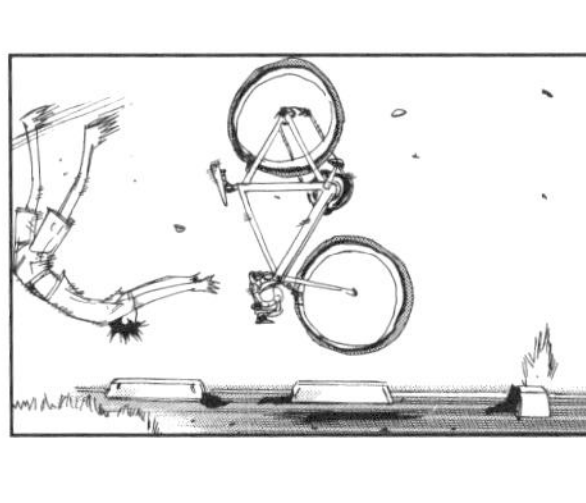

ロードレースいうんや。自転車と体
ひとつで一日に百キロ以上走るんや。
世界で一番過酷なスポーツなんや。
すごいんや‼
めっちゃ速いんや‼

おまえらには絶対（ぜったい）にわからん‼
もうほかのことは、いらん、ボクは速（はや）くなるだけでええ。
百コのことできるより
一コのことトコトンできる方が、絶対えらいやろ‼

だから、自転車にハマった。毎日、こぎ続けた。
病院の帰り道はいつもふわっとした気持ちになんのや。
病院のあたたかい感じをそのままつんで走っとる感じで、幸せな……
色でいうと、そう黄色かな……。
メチャ力がわいて、メチャ気持ちええのや。

とアキラは思った。

あるとき、病院に行ったら、車いすに乗った母が病院のげんかんの外に出ていた。たまのさんぽだった。

「かっこええな、アキラ。選手みたいやわ」

と母は言った。

「あ……外に出たら、具合悪なるやろ。ていうかまだ選手ちゃうわ」

とアキラはてれた。

「これ、アキラの自転車か。近くで見たらほんまに速そうやなあ」

「速いで。そりゃあ、前に……前に……てメッチャ進むんや！」

「そう、前に……すてきな乗り物やな、がんばりやのアキラにはピッタリや」

そう言って、母はサドルをそっとさわった。

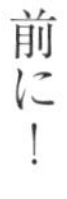

前に！

その言葉を胸に、アキラはがんばった。

「嵐山ヒルクライム」のレースに出て小学生の部で優勝した。優勝たてを持って、また病院におみまいに行った。

「すごいなー‼　ほんまなーー　めっちゃ練習したんちゃうん？　六年生もおったんやろ？　アキラすごいなー」

たてをかかげて、よろこんでくれた。わらっていた。アキラはまたてれた。

「そんなには、スゴないわ」

「検温の時間ですー」とナースが入ってきた。

母はナースにじまんした。

「アキラ、優勝したんよ。ほらこの間、言ってた、山登るやつ、自転車で」

「え、レース？　へえ、ホンマに⁉　すごいなあアキラくん」

とナースはおどろいていた。

「母さん、うれしいわー、めちゃうれしいわ、ほこりやよ、アキラ」

ボク、「歯」を食いしばってがんばったんやで。

と、アキラはうれしさがこみあげてきた。説明しようと思って、

「あんな、毎日……病院に来るとき、練習したんや。時計でタイムをはかってな……」

と言ったそのとき、

「田口先生ーーーーーーーー!!」

とナースが血相を変えて病室を出ていった。おかあさんの顔は白くなっていた。田口先生があわてて入ってきた。おかあさんは、ベッドにねたまま運ばれることになった。

「急いで」

「緊急です」

「すいません、通りまーす」

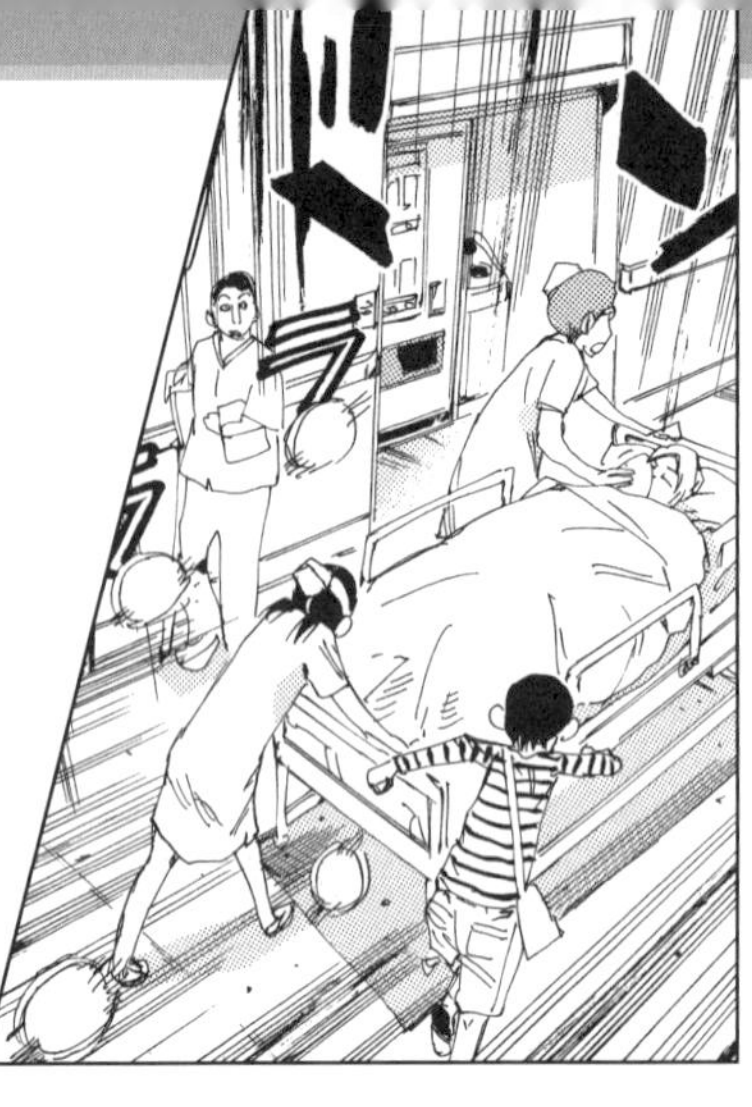

病院のろうかをあわただしくおされていくベッドをアキラは追いかけた。

「母さん、今度の日曜は一時退院っていうので、うちにもどってくるんやろ。その日、レースがあんのや。エントリーしたから。とちゅうでええから、見にきてや、かならず勝つで。勝つで。自信あるわ」

一生懸命話しかけた。

母の額にはあせのつぶがうかんでいた。

「そやな……」

声は小さかった。

「せっかくや……アキラの勝つとこ見たい、な」

「勝つに決まっとるやろ、母さんが見にくるんやから。めっちゃペダル回すわ」

「アキラ……がんばってな……、なにがあっても前に進むんやで」

と母はアキラのほおをなでた。

「進むに決まっとるやろ」

とアキラは言った。母の手はアキラのオデコにいって、またほおにもどってきて、それからうしろ首をやさしくなでた。

「あんなに小さかった子が……勝つんやなァ……」

そう言うとベッドに横たわったままで、アキラを胸にだきしめた。

いつも聞こえる、しあわせの音。心臓の。トクトクいう、音。色でたとえると黄色。

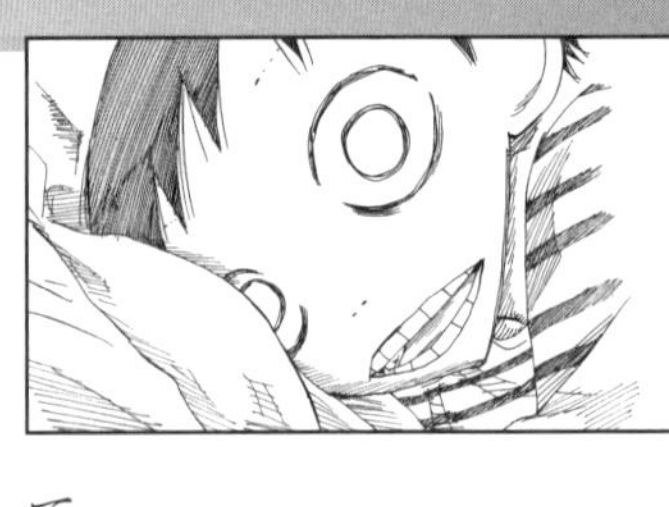

けど、そのときは、少しうすくなっとった。
母さんは、日曜日（にちようび）のレースには来なかった。優勝（ゆうしょう）したけど、来なかった。
アキラの心にはぽっかりとあながあいていた。家にはお線香（せんこう）のにおいがしていた。

うん…
ほやな。
ボクは勝ちつづけるで!!
これで、この自転車で。
なにがあっても前へ、前へ、進むんや。
たった一人で、限界（げんかい）まで。
手足がバラバラになるまで、もっと前へ!!

## 決着

ゴールまで残り五十メートル‼
最後の直線‼
勝利はだれにもゆずらん。
見えとる。来とる。
ゴールまでほんの数十メートルや‼

先頭は御堂筋。まだ御堂筋がほかをはなしている。
「GOAL」と大きくかかれたゴールゲートがもう、すぐ目の前にある。うしろから、金城と福富が必死で追う。

この足は絶対にゆるめたりせんよ。

肉(にく)!!

骨(ほね)!!

あせ!!

時間!!

すべてをけずって作りあげてきた、この「勝利(しょうり)の結晶(けっしょう)」は絶対(ぜったい)にはなしたりはせんよ!!

より純粋(じゅんすい)に勝ちをもとめたもんが勝つんや!!

来とる!!

あいつらがすぐうしろに!!

足が!?

動かん!?

ハァ!?

新開(しんかい)くんとのバトルで?

……そか
ほな……

かまわんわ、チギれろ。
もうゴールや。
ボクがほしいのは、勝利、ただひとつや。

三台の自転車が、ゴールゲートに引きよせられていく。
あと十メートル、九、八、七……。

もっとや!!
まだや!!
もっとや!!
本当に足がチギれるまで

すぐそこや
見えとる
ふめ
ふめ
ふめええええ‼
勝利や、勝利やぁぁぁぁぁぁあああ！

カチィイン
御堂筋が歯を強くかみしめた拍子に、ピシッと、前歯にヒビが入った。

歯ならびきれいやし、スポーツ選手は歯が大事や言うてたで。
うれしいわ
と、御堂筋は母の声が聞こえた気がした。

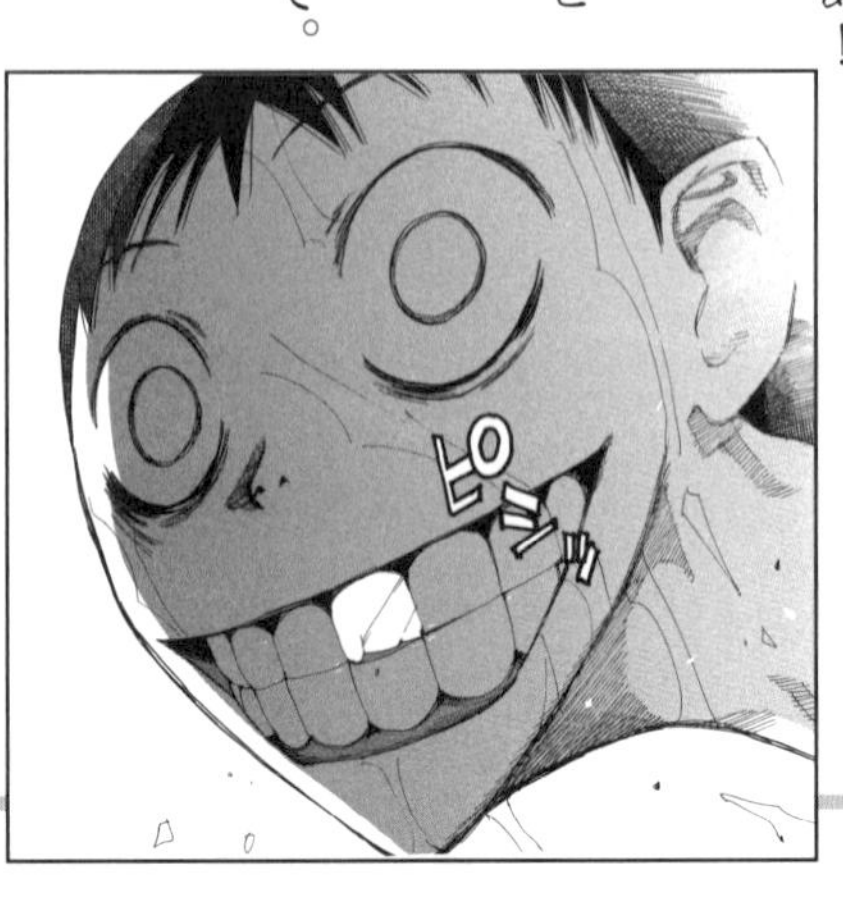

「京伏(きょうふし)、失速(しっそく)！」

と、アナウンサーのがなり声がスピーカーからひびいた。その瞬間(しゅんかん)、

「うおおおおおおお」

「おおおおおおおお」

福富(ふくとみ)と金城(きんじょう)が猛獣(もうじゅう)のようにさけびながら、ゴールになだれこんだ。

五メートル、

四、

三、

二……。

箱根学園

MAVIC
TREK

「今、ゴーーーーーーーーーーーーーーーーーーーーーーーール!!」

アナウンサーは絶叫した。

「大激戦の二日目、ゴールしました。インターハイロードレース男子！

ゴール直前、京都伏見高校は痛恨の三着！」

はぁ？

ボクが三位？

ボクが敗北？

「なんというレースでしょう、ついに決着!!

勝ったのは、箱根学園、ゼッケン１

福富寿一選手!!

二位は総北の金城真護選手です！」

アナウンサーのこうふんと、観客の大歓声の中、福富が、

うおおおおおおおおおおおおお！

両手を高々（たかだか）とつきあげてほえた。

ハァ、ハァ、ハァ、ハァ、ハァ、ハァ、ハァ、

金城は息（いき）あらいまま、うつむいた。

そのあと、御堂筋（みどうすじ）がゴールした。

御堂筋(みどうすじ)はやぶれた。金城(きんじょう)もやぶれた。勝ったのは、福富(ふくとみ)だった。

耳をつんざくような歓声(かんせい)がわんわんとこだまして、アナウンサーの声はかき消された。

観客(かんきゃく)たちは、たった今、目の前で起こったこと……一着 福富、二着 金城、三着 御堂筋の順でゴールしたこと……を、何度もたしかめていた。

だれもがこの目で見たはずなのに、どこか信じられないようすだ。

ゴールした福富と金城は、たがいの肩をたたきあっていた。

レースのほとんどを支配していた御堂筋の姿は、雲がくれしたかのように、どこにも見えない。

二日目の長い長いレースは終わった。

明日は、いよいよインターハイ最終日、運命の三日目だ。やってみないことには、栄冠のゆくえは、だれにもわからない。

湖畔は日がかたむき、次々とゴールする選手たちのかげを長くのばしていた。

（続く）

COLUMN

## これでキミも自転車通！

# 009

### 金城がいつもかけているサングラス、カッコイイよね！ でも見た目だけじゃなく、どんな役目があるのか知っておこう！

**プロのロードレースではヘルメットと同じように、義務づけられているサングラス（自転車の世界では、「アイウエア」と言う）。その目的は大事な目の保護だけど、快適で安全なサイクリングを行うための役目がたくさんあるよ。**

## 紫外線から目を守る

太陽がまぶしくて前が見えにくいときや路面からのてりかえしで道路が見えにくいときにサングラスは効果的。視界を確保してくれる。それに、目も日焼けするから、紫外線から目を守るためにもサングラスがひつようだよ。

## ホコリや虫、トビ石から目を守る

自転車に乗っていると、前からいろんなものが飛んでくる。ホコリや虫などだけでなく、レース中だったら前を行く自転車、あるいは自分の前輪からはねたトビ石が顔に当たることがあるので、目を守るためにもサングラスは大事だね。

## 雨が目に入りにくい

雨でもレースはある。頭の形にそってカーブしているサングラスをつけていれば雨が目に入りにくく、視界や目を守ってくれるよ。

## 風から目を保護する

風の強い日は、前からふく風を顔面に受けると目がかわいて、なみだが出てしまう。そのたびに目をこすっていたり、まばたきをしていると、その一瞬が事故につながりかねないから、サングラスで目を保護しておくことは大事だよ。

## サングラスの構造

深いカーブのレンズが顔をおおうような構造になっているので、すき間が少なく、異物や風が入らないようになっているよ。

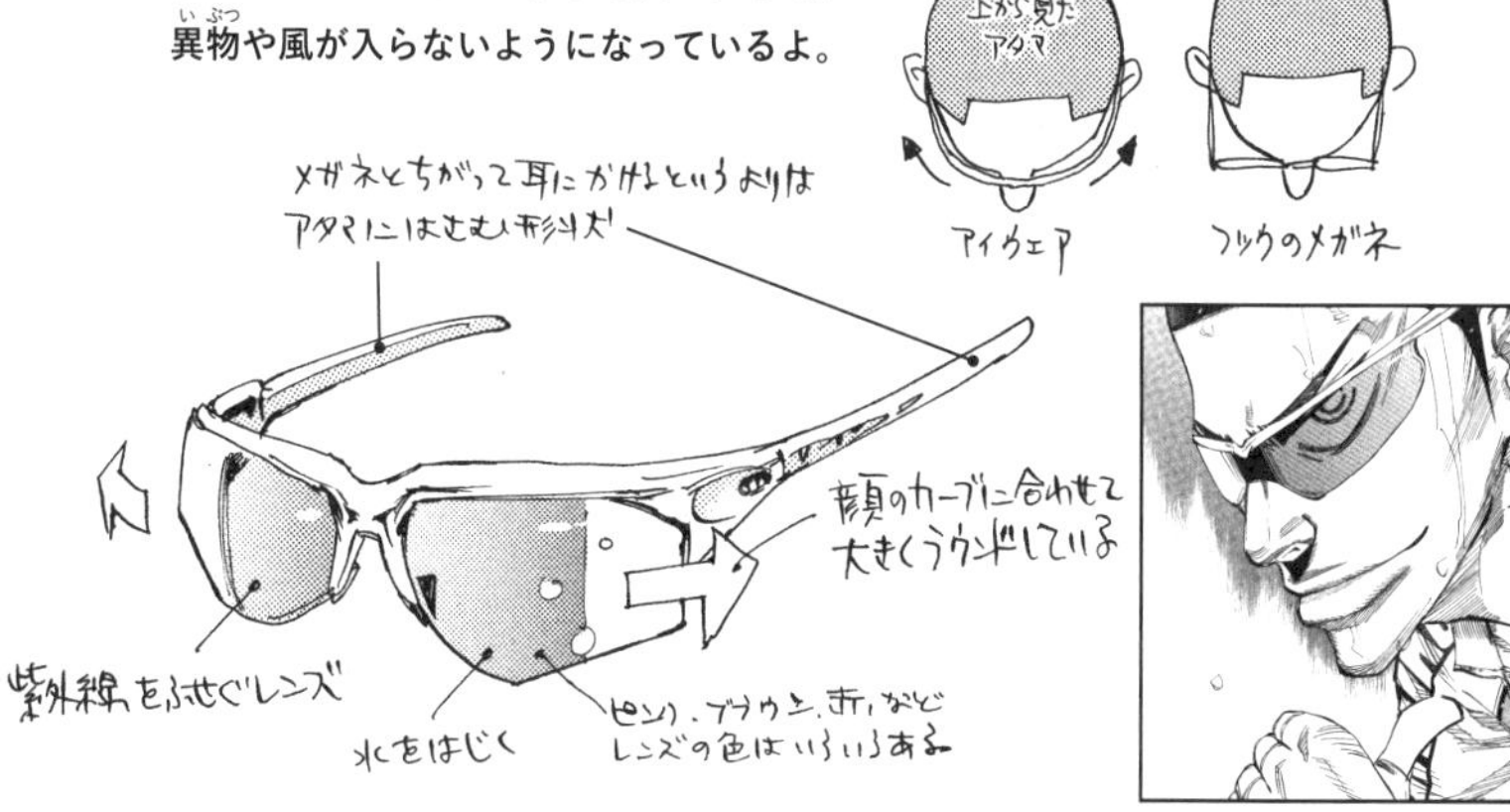


＊この作品では、総北高校の金城しかサングラスをかけていないけれど、それはマンガでは顔の表情が見えたほうがいいから。実際のレースではかけている人が多いよ。

[原作者]

**渡辺 航**（わたなべ　わたる）

漫画家。長崎県出身。MTBやロードバイクなど自転車をこよなく愛し、『弱虫ペダル』の連載を続けながら、多くのアマチュア自転車レースに参戦している。

[ノベライズ]

**輔老 心**（すけたけ　しん）

ライター。兵庫県出身。『スーパーパティシエ物語』『いやし犬まるこ』（いずれも岩崎書店）など著書多数。

AD 山田 武　　協力 渡邊まゆみ
編集協力 秋田書店

**フォア文庫**

**小説（しょうせつ） 弱虫（よわむし）ペダル9**

2022年6月30日　第1刷発行

| | |
|---|---|
| 原作者 | 渡辺 航 |
| ノベライズ | 輔老 心 |
| 発行者 | 小松崎敬子 |
| 発行所 | 株式会社 岩崎書店 |
| | 〒112-0005 東京都文京区水道1-9-2 |
| | 電話　03-3812-9131（営業）　03-3813-5526（編集） |
| | 00170-5-96822（振替） |
| 印刷・製本所 | 三美印刷株式会社 |

ISBN978-4-265-06579-0　NDC913　173×113



岩崎書店ホームページ　https://www.iwasakishoten.co.jp
ご意見をお寄せください　info@iwasakishoten.co.jp